PC konkret
Der Online-Marktplatz

STIFTUNG WARENTEST

Jörg Schieb
Jörg Brunsmann

Die deutsche Nationalbibliothek verzeichnet diese Publikation in der Deutschen Nationalbibliografie; detaillierte bibliografische Daten sind im Internet über http://dnb.d-nb.de abrufbar.

© 2007 by
STIFTUNG WARENTEST, Berlin
1. Auflage

Alle veröffentlichten Beiträge sind urheberrechtlich geschützt. Das gilt auch gegenüber Datenbanken und ähnlichen Einrichtungen. Die Reproduktion – ganz oder in Teilen – durch Nachdruck, fototechnische Vervielfältigung oder andere Verfahren – auch Auszüge, Bearbeitungen sowie Abbildungen – oder die Übertragung in eine von Maschinen, insbesondere Datenverarbeitungsanlagen verwendbare Sprache, oder die Einspeisung in elektronische Systeme bedarf der vorherigen schriftlichen Zustimmung des Verlages. Alle übrigen Rechte bleiben vorbehalten.

STIFTUNG WARENTEST
ISBN 978-3-937880-56-3

Liebe Leserin, lieber Leser.

Die bunte Werbung verspricht Schnäppchen und ein einzigartiges Kauferlebnis. Motto: „3 ... 2 ... 1 ... meins!" Die Presse hingegen warnt regelmäßig vor den zahlreichen Stolperfallen, den neuesten Abzocktricks und organisierten Betrügerbanden im Internet. Natürlich liegt die Wahrheit, wie meistens, irgendwo in der Mitte: Man kann in Online-Auktionshäusern wie eBay sehr wohl Schnäppchen machen. Man kann aber eben auch auf die Nase fallen. Alles ist möglich, wie im richtigen Leben.

Für die allermeisten ist eBay eine virtuelle Einkaufsmeile, die rund um die Uhr geöffnet hat. Ob neu oder gebraucht, Trödel oder Luxus, günstig oder teuer: Bei eBay gibt es für jeden Geschmack und Geldbeutel etwas. Selbst Autos lassen sich hier mittlerweile ersteigern. Oder besser gesagt: kaufen. Und wer selbst etwas loswerden will, kann die Sachen ohne viel Aufwand online stellen – und abwarten, was damit zu holen ist. Der Markt regelt es schon.

Bei eBay einzukaufen kann durchaus Spaß machen. In den letzten Sekunden, wenn sich eine Auktion dem Ende neigt, tummeln sich die Interessenten auf der Angebotsseite und geben ihre letzten Gebote ab. Oder lassen sie abgeben, von vollautomatischen Robotern, die das für sie erledigen. Auch eBay ist längst entzaubert. Die einen wollen Schnäppchen machen, die anderen Geld verdienen. Ein Recht dazu haben beide.

Dieser Ratgeber erklärt, wie das größte Online-Auktionshaus der Welt funktioniert – wie man geschickt kauft und verkauft, welche Regeln zu beachten sind und wie man sich clever der Möglichkeiten bedient, die eBay anbietet. Es geht aber auch um rechtliche Fragen: Welche Rechte hat man als Käufer, welche Pflichten als Verkäufer? Was muss unbedingt beachtet werden? Das Buch liefert Antworten auf die wichtigsten Fragen und macht hoffentlich auch ein bisschen Lust auf den Online-Marktplatz.

Der Online-Marktplatz

Inhalt

1 Erste Schritte — 7

eBay – was ist das überhaupt? 8
So melden Sie sich an 10
So ist die eBay-Seite aufgebaut 14
Der Bereich *Mein eBay* 16
So soll das eBay-Bewertungssystem funktionieren 20
Spezialseiten: eBay Express und die eBay Shops 23
Starthilfe: Die eBay-Hilfen und -Foren 25
Zu den eBay-Gebühren 26
Das sind die Alternativen zu eBay 27

2 Suchen, finden und kaufen — 31

Ordnung muss sein: Das Kategoriensystem 32
Besser und gezielter suchen 34
Eine Suche abspeichern 37
In Ergebnislisten den Überblick behalten 38
So sind die Artikelseiten von eBay aufgebaut 41
Artikel sofort kaufen oder mit *Sofort & Neu* erwerben 44
Preis vorschlagen und Artikel günstiger bekommen 45
Artikel von ausländischen Anbietern kaufen 46

3 So nehmen Sie an Auktionen teil — 49

So geben Sie ein Gebot ab 50
Das steckt hinter dem Bietagenten von eBay 52
Gebote zurücknehmen 53
So gewinnen Sie (fast) alle Auktionen 55
Elektronische Hilfe: Sniper-Programme 59
Ohne PC bei Internetauktionen mitbieten 61

4 So kommt die Ware zu Ihnen — 63

Die Kaufabwicklung von eBay nutzen 64
Andere Kaufabwicklungssysteme 66
Direkten Kontakt mit dem Verkäufer aufnehmen 67
Das steckt hinter Paypal 69
Mehr Sicherheit mit dem Treuhandservice 71
Nicht vergessen: Bewertung abgeben 74
Unangenehm: Auf Negativbewertungen reagieren 77

5 Probleme lösen, Betrügern vorbeugen — 79

Ihre Rechte und Pflichten als Käufer 80
So klären Sie Probleme direkt mit dem Verkäufer 81
Miese Tricks von Betrügern durchschauen 82
So sichern Sie sich ab 83
Was tun, wenn etwas schiefgeht? So setzen Sie sich zur Wehr 86

6 Eigene Artikel bei eBay verkaufen — 91

Artikel direkt per Internet einstellen 92
Das kostet es, Waren bei eBay zu verkaufen 94
Tipps für erfolgreiche Auktionen 98
So hilft der eBay Turbo Lister 102
Nach der Auktion: So wickeln Sie den Verkauf professionell ab 103
Versand optimal organisieren 105
So reagieren Sie auf Probleme mit Käufern 108

7 Verkaufen als Profi — 113

So werden Sie zum PowerSeller 114
Die richtige Verkaufsstrategie 117
Diese Pflichten haben Sie als Profihändler 119
Software und Internetseiten für Profiverkäufer 122

8 Alternativen zu eBay — 125

Das sind die direkten eBay-Konkurrenten 126
Billiger Schritt für Schritt: Countdown-Auktionen 128
Von der TV-Reparatur bis zur Komplettrenovierung:
Dienstleistungsauktionen 129
Es geht sogar kostenlos: Leihen und tauschen 134

Anhang

Wichtige eBay-Begriffe 136
Index 140
Impressum 144

Der Online-Marktplatz

Kapitel 1
Erste Schritte

Erste Schritte

Erste Schritte: So lernen Sie eBay kennen und melden sich an

Keine Frage – eBay zieht Millionen Menschen weltweit in seinen Bann. Für viele geht von dem Online-Auktionshaus eine regelrechte Faszination aus. Wie sonst wäre es zu erklären, dass sich eBay innerhalb weniger Jahre zu einer der beliebtesten Seiten im Internet gemausert hat? Täglich schauen Millionen Internetsurfer dort vorbei; ständig hat eBay mehrere Millionen Artikel im Angebot. Wer gerne auf Flohmärkten stöbert oder nach Schnäppchen sucht, für den ist der virtuelle Flohmarkt genau das Richtige. eBay ist heute aber mehr: Viele professionelle Händler nutzen die Plattform für ihre Geschäfte. Wir sprechen deshalb nicht mehr vom Auktionshaus, sondern vom Online-Marktplatz, auf dem sich die verschiedensten Anbieter tummeln. In diesem Kapitel erfahren Sie, was hinter eBay steckt, wie das System funktioniert und wie Sie sich anmelden können, um selbst dort aktiv zu werden.

eBay – was ist das überhaupt?

Wer einen Blick hinter die Kulissen von eBay wirft, der stellt schnell fest, dass es keine rein deutsche Erscheinung ist. eBay gibt es inzwischen in zahlreichen Ländern, und überall ist die Seite ganz ähnlich aufgebaut und funktioniert nach den gleichen Prinzipien.

eBay ist weltweit in vielen Ländern aktiv – hier die Startseite von eBay in Hongkong.

eBay – was ist das überhaupt?

Inzwischen ist eBay in fast allen wichtigen Ländern mit einer eigenen Seite vertreten; häufig ist das Auktionshaus sogar Marktführer in dem jeweiligen Land. Und auch, wenn der Flohmarktcharakter aus Anfangszeiten etwas verloren gegangen ist, weil es mehr und mehr Profihändler gibt – für viele Internetnutzer ist die Seite noch immer etwas Besonderes. Besonders deshalb, weil eBay einen Markt bildet, wie er in der Realität undenkbar wäre: Mehrere Millionen Artikel, Zehntausende von Händlern und ebenso viele Interessenten – und das alles verteilt über die halbe Welt und trotzdem direkt von zu Hause aus per Mausklick erreichbar, das ist schon toll.

Info

Wer steckt eigentlich hinter eBay?

eBay ist eine amerikanische Firma, und zwar eine noch recht junge: Erst 1995 wurde das Unternehmen gegründet. Der Gründer von eBay heißt Pierre Omidyar, der Legende zufolge kam er nach einem Gespräch mit seiner Ehefrau auf die Idee. Diese sammelt leidenschaftlich gerne bunte Bonbon-Spender. Ihr Vorschlag: Es wäre toll, wenn sie diese per Internet mit anderen austauschen könnte. Schnell wurde klar: Die Sammelleidenschaft treibt auch andere Menschen, und nicht nur bunte Bonbon-Spender sind hervorragend dazu geeignet, per Internet neue Besitzer zu finden.

Auch in Deutschland lag die Idee damals in der Luft; hierzulande entstand das Auktionshaus Alando. eBay wuchs in den USA unterdessen in rasantem Tempo und ging auf die Suche nach einem deutschen Ableger. Die Amerikaner kauften Alando kurzerhand auf – die deutsche eBay-Seite war geboren.

Diese Vorteile bietet eBay

Die größten Vorteile von eBay sind das riesige Angebot und die trotzdem einigermaßen übersichtliche Art des Marktplatzes. Zudem nutzt eBay konsequent die Möglichkeiten des Internets. Ein Verkäufer in Hamburg kann problemlos einen Käufer in München finden und umgekehrt. Und nicht nur das: Dank Internet ist ein Angebot sogar überall auf der ganzen Welt einsehbar; der Kauf von Waren aus anderen Ländern ist per eBay unproblematisch.

Die Vielfalt des Online-Auktionshauses ist kaum zu schlagen. Nicht nur Verstärker gibt es bei eBay zu Tausenden.

Erste Schritte

Hinzu kommt ein weiterer Reiz von eBay: Dank der modernen Technik ist es möglich, sich mit anderen Kaufinteressenten live im Internet ein „Bietgefecht" zu liefern: Das Internet-Auktionshaus geht damit weit über das hinaus, was der Kleinanzeigenteil der Zeitung oder ein echter Flohmarkt leisten kann.

Diese Nachteile hat eBay

Nicht übersehen sollte man allerdings auch die Nachteile, die das System mit sich bringt. Da man die Waren vorab nicht anfassen und ausprobieren kann, ist man weitgehend auf die Ehrlichkeit des Verkäufers angewiesen. Es passiert immer wieder, dass man glaubt, ein richtiges Schnäppchen zu machen, und am Ende Dinge kauft, die im Laden um die Ecke wesentlich billiger gewesen wären. Die Gefahr, vom Schnäppchenfieber gepackt zu werden, ist eben kaum irgendwo so groß wie bei eBay.

Nur keine Angst …

Wenn Zeitungen oder Fernsehsender größere Geschichten über eBay verbreiten, dann ist fast immer die Rede von Betrügern, die sich des Internet-Auktionshauses bedienen. „Millionen Euro Schaden durch Internetbetrüger" oder „Gauner nutzen eBay-Käufer aus" – Schlagzeilen, die man in letzter Zeit des Öfteren lesen konnte. Solche Berichte sollte man allerdings eher als Mahnung, denn als Warnung verstehen: Wer mit Sinn und Verstand an die Sache herangeht und eine gesunde Portion Misstrauen mitbringt, wird die Tricks der Betrüger schnell durchschauen und kann ihnen aus dem Weg gehen.

So melden Sie sich an

In Ruhe stöbern und suchen, das geht bei eBay völlig unverbindlich und ohne jede Anmeldung. Wer im Online-Auktionshaus mitbieten, etwas kaufen oder verkaufen will, muss sich allerdings zuvor anmelden. Das geht relativ schnell, ist einfach und kostenlos. Man bekommt eine Benutzerkennung und kann das System dann voll nutzen.

Allerdings geht es nicht mehr so unkompliziert zu wie noch in den Anfangsjahren des Auktionshauses. Inzwischen prüft eBay etwas genauer, wer sich anmeldet – in der Vergangenheit hat man zu häufig schlechte Erfahrungen mit Betrügern gemacht, die die Schwächen des Systems gezielt ausgenutzt haben. Kernstück der Anmeldung ist daher eine Überprüfung der eingegebenen Daten. Diese Prüfung übernimmt die Schufa.

So melden Sie sich an

Info

Darum nutzt eBay die Schufa

Die Schufa ist ein Unternehmen, das vor allem für Banken und andere Kreditgeber arbeitet. Ist jemand schon einmal negativ aufgefallen, weil er zum Beispiel einen Kredit nicht zurückbezahlt hat, dann wird dies bei der Schufa gespeichert. eBay allerdings nutzt nach eigenen Angaben einen anderen Dienst der Schufa. Nicht, ob jemand kreditwürdig ist, wird geprüft, sondern ob der eingegebene Name, die Adresse und das Geburtsdatum zueinanderpassen. Die Schufa hat rund 57 Millionen Adressdaten gespeichert, sodass durch die Überprüfung Fantasienamen und -adressen schnell auffallen.

Die Schufa-Prüfung garantiert allerdings noch keinen effektiven Schutz vor fiesen Betrügertricks. eBay kontrolliert zwar die persönlichen Daten des Benutzers, doch genau diese Angaben sind heutzutage leicht über Internetsuchfunktionen herauszufinden. Mit den recherchierten Daten können Gauner problemlos ein Konto bei eBay anlegen und dort dann unter fremden Namen ihr Unwesen treiben. Aus diesem Grund zieht eBay eine weitere Optimierung der Identitätskontrolle in Erwägung.

Die Anmeldung bei eBay ist nicht sonderlich kompliziert, der Zeitaufwand liegt jedoch bei etwa 20 Minuten. Diese Zeit sollten Sie sich auch nehmen und alle Schritte ruhig und konzentriert durchgehen.

So geht's:

Um sich bei eBay anzumelden, gehen Sie wie folgt vor:

1. Stellen Sie zuerst eine Verbindung ins Internet her und rufen Sie die Startseite von eBay auf. Diese erreichen Sie unter der Adresse www.ebay.de. Nach wenigen Sekunden haben Sie die deutsche eBay-Seite vor Augen.
2. Im oberen Bereich der Seite befindet sich die Serviceleiste. Diese ist auf fast allen eBay-Seiten zu sehen und ermöglicht einen schnellen Zugriff auf alle wichtigen Funktionen – darunter auch die Anmeldung für neue Mitglieder. Klicken Sie dazu auf *Anmelden*.

Nur ein Mausklick auf der Startseite von eBay, und die Anmeldung beginnt.

3. Eine neue Seite wird geladen. Hier befindet sich eine Eingabemaske, in die Sie Ihre persönlichen Daten eintragen müssen. Ihre Adressdaten werden im nächsten Schritt von der Schufa überprüft.

Erste Schritte

Zur Anmeldung benötigen Sie zudem eine E-Mail-Adresse. An diese Adresse werden später alle Mitteilungen von eBay geschickt, auch Verkäufer und Käufer erhalten diese Adresse, um mit Ihnen Kontakt aufzunehmen. Damit sich bei der Anmeldung möglichst keine Tippfehler einschleichen, müssen Sie die E-Mail-Adresse zweimal eingeben.

4. Danach geben Sie an, welchen Mitgliedsnamen Sie bei eBay benutzen möchten. Ein Name kann nur dann registriert werden, wenn er noch nicht von jemand anderem benutzt wird. Die Verfügbarkeit eines Wunschnamens lässt sich direkt auf der Seite prüfen.

Achtung

Den eBay-Namen mit Bedacht auswählen

Bei der Auswahl des eBay-Namens sollten Sie bedenken, dass dieser eine Art Visitenkarte ist. Der Name sollte möglichst kurz und prägnant sein, er darf aber ruhig etwas über Sie oder Ihr Hobby erzählen – zum Beispiel mit einem Namen wie „modellbahn-fan" oder „modellbahner" (wobei diese beiden Beispielnamen schon besetzt sind). Wenig vorteilhaft ist dagegen ein Name, der Ihren Handelspartner möglicherweise abschreckt – zum Beispiel „spassbieter" oder „zahlenicht" (wobei selbst diese beiden Namen schon vergeben sind). Den Namen später zu ändern, ist nicht so leicht: eBay erlaubt nur innerhalb der ersten 30 Tage nach Anmeldung, den Namen einmal zu korrigieren.

Einige Dinge sind beim eBay-Namen übrigens nicht erlaubt: So darf weder das Zeichen „@" darin vorkommen (Sie können also keine E-Mail-Adressen eingeben), noch können Sie eine Internetadresse verwenden. Auch das Wort „eBay" darf nicht in Ihrem Mitgliedsnamen auftauchen.

5. Mit zunehmender Popularität von eBay wird es immer schwerer, einen Namen zu finden, der noch nicht vergeben ist. Sie müssen damit rechnen, dass Ihre ersten Eingaben zurückgewiesen werden. Eine Lösung – wenn auch nicht unbedingt die eleganteste: an den gewünschten Mitgliedsnamen noch eine Ziffernkombination anhängen; natürlich eine möglichst einprägsame, zum Beispiel „modellbahnfan2000" oder „squash-spieler1111".

6. Neben dem eBay-Namen sollten Sie auch Ihr Zugangspasswort mit besonderer Sorgfalt auswählen. Eine Farbskala neben dem Eingabefeld zeigt, wie sicher das von Ihnen gewählte Kennwort ist.

Ein sicheres Passwort ist äußerst wichtig.

Die sorgfältige Auswahl ist deshalb so wichtig, weil Name und Passwort genügen, um in Ihrem Namen Geschäfte zu tätigen! Profibetrüger können über Umwege sogar auf Ihr Bankkonto zugreifen oder Ihr E-Mail-Postfach knacken. Sie sollten daher nicht nur ein sicheres Passwort wählen, sondern eBay-Namen und Passwort auch keinesfalls an Dritte weitergeben – behandeln Sie beides so sorgfältig wie Ihre EC-Karte und die dazugehörige PIN-Nummer.

> **Tipp**
>
> **Tipps für ein sicheres Passwort**
>
> Das eBay-Passwort muss aus mindestens sechs Zeichen bestehen, wobei möglichst eine Kombination aus Buchstaben und Ziffern verwendet werden sollte. Ungeeignet sind gängige Wörter oder solche, die in direktem Zusammenhang mit dem eBay-Namen stehen. Sonderzeichen zu verwenden macht nur dann Sinn, wenn vorwiegend an einem PC gearbeitet wird: Viele Rechner (vor allem außerhalb Deutschlands) haben ein anderes Tastaturlayout, das es schwer macht, die Sonderzeichen wiederzufinden.

7. Sollten Sie Ihr Passwort einmal vergessen haben, hält eBay ein Hintertürchen offen: Beantworten Sie eine Sicherheitsfrage richtig, erhalten Sie wieder Zugang zum Mitgliedskonto. eBay bietet bei der Anmeldung mehrere Sicherheitsfragen zur Auswahl, von denen Sie eine auswählen und die richtige Antwort eingeben müssen. Wichtig ist, dass nach Möglichkeit nur Sie die Antwort kennen.

> **Tipp**
>
> **Passwort oder Namen vergessen?**
>
> Sollten Sie Ihr Passwort einmal vergessen haben, klicken Sie auf der Startseite auf *Einloggen* und dann auf *Haben Sie Ihren Mitgliedsnamen vergessen?* beziehungsweise auf *Haben Sie Ihr Passwort vergessen?* eBay hilft Ihnen, wieder Zugang zum System zu bekommen.

8. Damit es weitergehen kann, müssen Sie die Allgemeinen Geschäftsbedingungen (AGB) von eBay akzeptieren und sich einverstanden erklären, dass Ihre Daten elektronisch verarbeitet werden. Auch wenn kaum jemand die AGB liest, sollten Sie doch die wichtigsten Paragrafen zur Kenntnis nehmen, um zu wissen, worauf Sie sich einlassen. Verhandelbar sind die Bedingungen aber nicht: Wer sie nicht akzeptiert, kann auch kein Mitglied bei eBay werden.

9. Als Nächstes überprüft eBay – wie angekündigt – Ihre Daten mit Hilfe der Schufa. Das kann etwas dauern, Sie sollten den Rechner in dieser Zeit einfach arbeiten lassen. Geht alles klar, öffnet sich kurz darauf eine neue Seite, auf der Sie aufgefordert werden, einen

Erste Schritte

Bestätigungscode einzugeben. Diesen finden Sie in der E-Mail, die Ihnen eBay inzwischen zugeschickt haben sollte. Auf diese Weise will das Unternehmen sicherstellen, dass Sie tatsächlich Zugriff auf das angegebene E-Mail-Postfach haben. Nach Eingabe des Sicherheitscodes ist die Anmeldung abgeschlossen, und Sie sind bereits reguläres Mitglied beim Auktionshaus.

Recht

Bin ich haftbar, wenn jemand mein Passwort stiehlt und missbraucht?

Die Ausrede, eBay-Name und Passwort seien gestohlen worden, wird gerne verwendet, wenn der Käufer ein Spaßgebot abgegeben hat und die Ware nicht mehr haben möchte. Dennoch kommt es auch vor, dass die Benutzerkonten tatsächlich ausgespäht und missbraucht wurden. Derartige Fälle haben die Gerichte schon mehrfach beschäftigt.

Allerdings gibt es bisher keine einheitliche Rechtssprechung. Alle Informationen, die dem Verkäufer zur Verfügung stehen, werden ihm über das eBay-System übermittelt. Der Verkäufer wird also zunächst davon ausgehen, dass diese Daten korrekt sind und sein Gegenüber auch das Gebot abgegeben hat. Die Gerichte hingegen sagten bisher meist, dass den Verkäufer die volle Beweislast treffe, dies nachzuweisen.

Aus der bloßen Verwendung eines Benutzernamens zusammen mit dem Passwort kann grundsätzlich noch nicht geschlossen werden, dass tatsächlich der Accountinhaber selbst das Gebot abgegeben hat. Wenn es sich wirklich um einen Passwortklau handelt und das Gericht dies nicht als bloße Schutzbehauptung abtut, haftet man also als Betroffener nicht für die missbräuchliche Verwendung der eigenen Daten. Den Vertragsschluss beweisen muss bislang immer noch der Verkäufer. Trotzdem sollten Sie eBay-Namen und Passwort möglichst sicher aufbewahren, damit Sie sich gar nicht erst vor Gericht wiederfinden.

So ist die eBay-Seite aufgebaut

Nach einer erfolgreichen Anmeldung bei eBay steht Ihnen die ganze Welt des Online-Auktionshauses offen. Um sich auf der Seite zurechtzufinden, macht es Sinn, sich mit dem Aufbau der Seiten ein wenig vertraut zu machen. Im Laufe der Jahre haben sich einige grundsätzliche Dinge etabliert, die bei der Bedienung des Systems und aller seiner Funktionen helfen.

Die Startseite von eBay ist im Grunde immer gleich aufgebaut. Zum Teil enthält sie Werkzeuge, die einen schnellen Zugriff auf bestimmte Funktionen oder Bereiche der eBay-Seite ermöglichen, zum Teil befindet sich aber auch Werbung auf der Seite: Produkte, die besonders hervorgehoben werden sollen, damit sich mehr Bieter oder Käufer dafür finden.

Die Serviceleiste

Ganz wichtig, um alle Funktionen von eBay nutzen zu können, ist der obere Rand der Seite. Das eBay-Logo ganz links in diesem Bereich findet sich auf praktisch allen eBay-Seiten wieder. Ob gerade eine Kategorie angeschaut wird, das Ergebnis einer Suche oder ein einzelner Artikel angezeigt wird: Immer befindet sich links oben dieses Logo. Ein Mausklick darauf führt direkt zurück zur Startseite.

Rechts neben dem Logo befindet sich ein Bereich, der Zugriff auf alle wichtigen Serviceseiten von eBay ermöglicht. Besonders wichtig ist *Mein eBay*. Dahinter befindet sich beispielsweise eine Übersicht über alle in letzter Zeit gekauften Artikel, es lassen sich dort aber auch persönliche Daten einsehen oder verändern.

Das Suchen-Feld

In der Leiste direkt unter dem oberen Bereich befindet sich ein Textfeld. Dort kann ein beliebiger Suchbegriff eingegeben werden; direkt nach dem Aufruf der eBay-Startseite blinkt dort bereits die Eingabemarke. Rechts neben diesem Texteingabefeld gibt es zudem ein Listenfeld: Ein Mausklick auf den kleinen Doppelpfeil am rechten Rand des Feldes zeigt alle Listenelemente an. Das eröffnet die Möglichkeit, direkt in einer der zahlreichen Hauptkategorien mit der Suche zu beginnen.

Haben Sie einen Suchbegriff eingegeben und eine Kategorie ausgewählt (oder im Listenfeld den Eintrag *Alle Kategorien* stehen gelassen), klicken Sie auf die Schaltfläche *Finden*. Sie bekommen dann in wenigen Sekunden eine Ergebnisliste präsentiert.

> **Info**
>
> **Schritt für Schritt die Suche verfeinern**
>
> Die Eingabe eines Suchbegriffs auf der Startseite ist meist nur der Ausgangspunkt der Recherche. Die Suche lässt sich danach Schritt für Schritt verfeinern. Mehr Informationen dazu gibt es im Kapitel *Suchen, finden und kaufen: So geht's* (→ Seite 31).

Kategorien

Direkt unter dem Eingabefeld für den Suchbegriff befindet sich eine Liste mit den Hauptkategorien von eBay. Jeder Artikel ist in mindestens eine Kategorie eingeordnet. Gegen eine Zusatzgebühr kann der Verkäufer einen Artikel sogar in eine zweite Kategorie einstellen. Mit deren Hilfe kann man sich schnell einen Überblick über die Angebotslage in bestimmten Bereichen machen. Die Liste auf der Startseite führt dabei nur die jeweilige Hauptkategorie auf, dahinter verbergen sich zum Teil mehrere Dutzend Unterkategorien.

Der Bereich *Mein eBay*

Wer etwas länger mit eBay arbeitet, wird schnell feststellen, dass es gar nicht so leicht ist, in dem System den Überblick zu behalten. Wann läuft noch mal die Auktion aus, die Sie sich vorhin angesehen haben? In drei Tagen oder schon in zwei? Und was ist eigentlich mit dem Buch, das Sie letzte Woche gekauft haben? Haben Sie das Geld dafür schon überwiesen? Um bei all diesen Fragen die Übersicht zu bewahren, gibt es in eBay einen Bereich, der nur für Sie persönlich zugänglich ist. Er heißt *Mein eBay* und bietet Zugriff auf alle Ihre wichtigen Daten und Einstellungen.

So geht's:

Um in den Bereich *Mein eBay* zu gelangen, gehen Sie folgendermaßen vor:

1. Auf den Bereich *Mein eBay* greifen Sie am einfachsten über die Serviceleiste zu, die im oberen Bereich praktisch jeder Seite angezeigt wird. Klicken Sie dort auf *Mein eBay*.
2. Da die Daten in dem Bereich nicht für jedermann einsehbar sein sollen, müssen zur Absicherung Benutzername und Passwort eingegeben werden. Machen Sie die Eingaben in den entsprechenden Textfeldern und klicken Sie danach auf *Einloggen*. Das System zeigt Ihnen dann die Übersichtsseite ihres persönlichen eBay-Bereichs an.

So ist *Mein eBay* aufgebaut

Mein eBay ist die zentrale Anlaufstelle, wenn es um die Verwaltung gekaufter oder gemerkter Artikel geht. Und auch für Verkäufer hält der Bereich viele Informationen bereit, zum Beispiel wie viele Beobachter ein Artikel hat oder ob ein Käufer eine ersteigerte Ware schon bezahlt hat.

Der Bereich *Mein eBay*

Der Bereich *Mein eBay* bietet Dutzende von Möglichkeiten, um Käufe und Verkäufe zu verwalten.

Mein eBay gliedert sich in verschiedene Bereiche, der Zugriff darauf erfolgt über die Navigationsleiste am linken Rand der Seite. Unter der Überschrift *Ansichten* sind die Möglichkeiten von *Mein eBay* aufgelistet. Alle Bereiche werden Sie vermutlich erst im Laufe der Zeit entdecken, manche sind auch nur für Profihändler von Interesse.

Hier die wichtigsten Bereiche von *Mein eBay* im Überblick:

Ansichten in *Mein eBay*		Inhalt
Zusammenfassung		Hier finden Sie alle wichtigen Daten im Überblick. Zum Beispiel lässt sich gleich erkennen, wenn ein Artikel aus der Merkliste am heutigen Tag endet oder wie viele Bewertungen noch abgegeben werden können.
Artikel kaufen	Beobachten	Wenn Sie eine Auktionsseite aufrufen, können Sie diese zur Merkliste hinzufügen. Hier befindet sich die Liste mit Ihren gemerkten Auktionen. Auch bereits beendete Auktionen bleiben bis zu 90 Tage in der Liste gespeichert. Die Liste umfasst maximal 100 Artikel.
	Bieten	Listet alle derzeit noch laufenden Auktionen auf, bei denen Sie ein Gebot abgegeben haben und derzeit der Höchstbietende sind.
	Sammelgebot	Liste der Artikel, für die Sie gesammelt ein Maximalgebot abgeben. Automatisch wird so lange geboten, bis Sie einen Artikel dieser Gruppe erhalten.

Erste Schritte

Ansichten in *Mein eBay*		Inhalt
	Preisvorschläge	Manche Händler verkaufen ihre Artikel zu einem festgelegten Preis, lassen darüber aber mit sich handeln: Sie können einen Preisvorschlag machen, den der Händler annehmen oder ablehnen kann. Alle gemachten und noch nicht endgültig beantworteten Preisvorschläge werden in diesem Bereich aufgelistet.
	Gekauft	Liste mit allen von Ihnen gekauften Artikeln der letzten 90 Tage.
	Überboten	Alle Auktionen (laufende und beendete), für die Sie ein Gebot abgegeben haben, das aber überboten wurde.
	Angebote für Sie persönlich	eBay analysiert Ihre bisherigen Käufe und präsentiert in diesem Bereich ähnliche Angebote oder Zubehör zu den bisher gekauften Waren.
Artikel verkaufen	*Vorbereitet*	Wenn Sie Artikel verkaufen, können Sie die Auktion komplett vorbereiten, müssen sie aber nicht sofort starten. Solange die Auktion startklar ist, aber noch nicht läuft, wird sie von eBay in diesem Bereich angezeigt.
	Verkaufen	Alle Artikel, die Sie derzeit im Angebot haben und auf die noch geboten werden kann.
	Verkauft	Alle Ihre Artikel, die erfolgreich verkauft wurden.
	Nicht verkauft	Alle Ihre Auktionen, die beendet sind, für die bis zum Ende der Auktion aber kein Gebot abgegeben wurde.
Marketing-Tools		Dieser Bereich ist vor allem für Profiverkäufer gedacht, die ihre Auktionen besser vermarkten möchten. Hier lassen sich zum Beispiel Cross-Promotion-Aktionen erstellen und verwalten.
Suchanzeigen		Bei eBay können Sie nicht nur aktiv suchen, sondern auch suchen lassen und eine Suchanzeige aufgeben. Sobald ein gesuchter Artikel neu bei eBay zum Verkauf angeboten wird, erhalten Sie eine E-Mail.
Meine Nachrichten		Wichtige Nachrichten (z. B. Fragen von potenziellen Käufern) schickt eBay Ihnen nicht nur per E-Mail, sondern speichert sie auch in diesem Bereich. Hin und wieder sollten Sie einen Blick hineinwerfen, um sicherzustellen, dass keine E-Mails im Spamfilter Ihres Mail-Programms hängen geblieben sind.

Der Bereich *Mein eBay*

Ansichten in *Mein eBay*		Inhalt
Favoriten		Hier können Sie sich dauerhaft Verkäufer und Kategorien merken, die für Sie von besonderem Interesse sind.
Meine Mitgliedschaft	Persönliche Daten	Hier sind wichtige persönliche Daten wie das Passwort, die Art des Verkäuferkontos (privater oder gewerblicher Anbieter) und Ihre Kontoverbindung gespeichert. Über diesen Bereich können Sie die Daten auch verändern.
	Adressen	eBay hat gleich mehrere Adressen von Ihnen gespeichert: die Adresse, die Sie bei der Anmeldung hinterlegt haben, Ihre Zahlungsadresse und die primäre Lieferadresse. Nach einem Umzug können Sie die Daten hier auch verändern.
	Einstellungen	eBay speichert bestimmte Vorlieben beim Anzeigen oder Verkaufen von Artikeln. Voraussetzung ist, dass Sie eingeloggt sind, damit das System Sie erkennt. In diesem Bereich können Sie festlegen, welche Einstellungen Sie für bestimmte Bereiche bevorzugen.
	Bewertungen	Haben Sie Artikel gekauft oder verkauft, können Sie Ihrem Geschäftspartner eine Bewertung geben. Über diesen Bereich erhalten Sie eine Übersicht, für welche Auktionen noch eine Bewertung von Ihnen vergeben werden kann oder für welche Aktion noch die Bewertung Ihres Geschäftspartners aussteht.
	Verkäuferkonto	Verkaufen Sie Artikel über eBay, sind Gebühren fällig. Hier erfahren Sie, ob Sie eBay noch Gebühren schulden.
	Abonnements	eBay bietet verschiedene Dienste an, die vor allem für Profiverkäufer gedacht sind – zum Beispiel eine Marktanalyse oder die Möglichkeit, Verkaufsberichte zu erstellen.
Meine Testberichte & Ratgeber		Sie können für andere eBay-Mitglieder Testberichte und Ratgeber erstellen. So können Sie zum Beispiel anderen Ihre persönlichen Erfahrungen mit bestimmten Geräten und Produkten schildern oder aufschreiben, was Ihrer Meinung nach nötig ist, um ein bestimmtes Hobby erfolgreich auszuführen.
Unstimmigkeiten online klären		Die meisten Käufe und Verkäufe bei eBay laufen problemlos ab, manchmal aber gibt es Ärger, zum Beispiel weil ein Käufer nicht zahlt oder der Verkäufer eine Ware nicht verschickt. In diesem Bereich können Sie Ihren Handelspartner auf die Probleme aufmerksam machen und versuchen, via eBay eine Klärung der Unstimmigkeiten zu finden.

Erste Schritte

So soll das eBay-Bewertungssystem funktionieren

Das Bewertungssystem ist einer der zentralen Bestandteile von eBay. Mit seiner Hilfe lassen sich unzuverlässige Verkäufer mit einiger Sicherheit erkennen, um Problemen schon vor einem Kauf aus dem Weg zu gehen. Die Funktionsweise des Bewertungssystems ist ganz einfach: Nach dem Ende einer Auktion geben Käufer und Verkäufer ein Urteil über den jeweils anderen ab. Drei Möglichkeiten gibt es: Sie können positiv bewerten, neutral oder negativ – je nachdem wie gut und zuverlässig Ihr Gegenüber war.

Für jede positive Bewertung gibt es von eBay einen Punkt, für jede negative wird ein Punkt abgezogen. Hinter jedem Mitgliedsnamen steht in Klammern eine Zahl – das ist die Zahl der Punkte, die ein Mitglied erreicht hat. Je höher die Punktzahl, desto besser also – eine hohe Punktzahl zeigt zugleich, dass Sie es mit einem recht erfahrenen Verkäufer zu tun haben.

Eine hohe Zahl an Punkten zeigt: Dieser Verkäufer hat Erfahrung.

Um sich detaillierter über das Bewertungsprofil eines eBay-Mitglieds zu informieren, klicken Sie auf die Zahl in Klammern. Es öffnet sich daraufhin eine neue Seite. Im oberen Bereich sehen Sie jeweils eine Zusammenfassung des Bewertungsprofils: Die Zahl der positiven, neutralen und negativen Bewertungen lässt sich dort auf einen Blick erkennen.

In der Tabelle *Aktuelle Bewertungen* können Sie sehen, über welchen Zeitraum die Punkte vergeben wurden: innerhalb des letzten Monats, innerhalb der letzten sechs Monate oder innerhalb des letzten Jahres. Besonders aussagekräftig ist die in diesem Bereich angegebenen Prozentzahl: *100 %* bedeutet, dass das eBay-Mitglied bisher

So soll das eBay-Bewertungssystem funktionieren

keine negativen Bewertungen bekommen hat – oder so wenige, dass sich diese prozentual nicht bemerkbar machen.

Eine gute Einschätzung erlaubt auch die Erweiterung des Bewertungssystems, die eBay vor einiger Zeit vorgenommen hat: Rechts neben der Tabelle mit den aktuellen Bewertungen finden Sie insgesamt vier Reihen mit Sternen. Maximal fünf Sterne können hier jeweils erscheinen. Diese geben Auskunft über verschiedene Details einer Auktion, zum Beispiel wie gut die Artikelbeschreibung war, wie lange es gedauert hat, bis der Artikel beim Käufer war, oder wie sehr Versand- und Verpackungsgebühren zu Buche schlugen.

Sternchen geben Auskunft über Stärken und Schwächen eines Anbieters.

Detaillierte Verkäuferbewertung	(seit Mai 2007)	
Kriterien	Durchschnittliche Bewertung	Anzahl der Bewertungen
Artikel wie beschrieben	★★★★★	885
Kommunikation	★★★★★	872
Versandzeit	★★★★☆	877
Versand- und Verpackungsgebühren	★★★★★	882

Tipp

Schnell informieren auf der Artikelseite

Schon auf der Artikelbeschreibungsseite können Sie sich schnell einen ersten Eindruck von einem Verkäufer verschaffen: Im oberen Bereich der Seite befindet sich stets ein Kasten mit der Bezeichnung *Angaben zum Verkäufer*. Dort steht auch, wie hoch – prozentual gesehen – der Anteil positiver Bewertungen dieses Verkäufers ist. Liegt der Anteil positiver Bewertungen deutlich unter 98 Prozent, sollte Sie das stutzig machen.

So hilft das Bewertungssystem, Probleme zu vermeiden

Mit Hilfe der Bewertungsliste bekommen Sie einen recht guten Überblick über ein eBay-Mitglied. Ist er eher Käufer oder Verkäufer? Was für Waren interessieren ihn? Verkauft er immer die gleichen Artikel oder betreibt er eine Art Gemischtwarenladen?

Intensiv durchlesen sollten Sie sich vor allem die Kommentare zu Negativbewertungen. Probleme kristallisieren sich hier schnell heraus. Bemängeln ein Dutzend Käufer Unzuverlässigkeit oder mangelnde Qualität einer Ware? Dann wird das kaum mehr ein Zufall sein. Sie sollten das Bewertungsprofil also recht gut studieren, ehe Sie sich zum Mitbieten entschließen.

Negativbewertungen und die darauf folgenden Reaktionen des Verkäufers bieten einen guten Anhaltspunkt für die Seriosität.

Erste Schritte

> **Achtung**
>
> **Ausnahme Privatmitglieder**
>
> Nicht von allen eBay-Mitgliedern lassen sich die Bewertungen im Detail anschauen. Wer sein Bewertungsprofil bei der Anmeldung als *privat* kennzeichnet, gibt nur begrenzt über sich Auskunft. Die abgegebenen Kommentare werden nicht angezeigt, sodass sich auch nicht nachvollziehen lässt, mit wem das eBay-Mitglied Handel betrieben hat und welche Waren dabei gekauft oder verkauft wurden. Was sich aber sehr wohl in Erfahrung bringen lässt, ist die Gesamtsumme der abgegebenen Bewertungen – und wie viele davon positiv oder negativ waren. Gerne genutzt wird die Privatschaltung von Verkäufern, die zum Beispiel mit Medikamenten handeln. Hier macht die Funktion auch Sinn, so kann zum Beispiel kein anderes eBay-Mitglied herausfinden, dass Sie Medikamente benötigen und um welche es sich handelt.

Warum das Bewertungsprofil nicht alles sagt

Nicht immer liefert das Bewertungssystem ein vollständiges Bild vom Verkäufer. In der Regel finden sich hier nur Aussagen darüber, ob der Verkäufer zuverlässig liefert und ob die Ware wie versprochen aussieht. Qualität und Funktion der Produkte sind dagegen manchmal nur schwer zu beurteilen. Das gilt besonders für pharmazeutische Präparate wie Nahrungsergänzungsmittel, Schlankheitspillen und ähnliche „Wundermittel". Obwohl Mediziner vor solchen Produkten fast immer warnen oder zumindest bescheinigen, dass diese keinerlei nachgewiesene Wirkung haben, finden sich in der Bewertung der Verkäufer fast nur positive Bewertungen. Der Grund dafür ist einfach: Die Verkäufer verschicken zuverlässig, und das Produkt sieht aus wie beschrieben.

Was allerdings die versprochene Wirkung angeht, so findet sich in den Bewertungen kaum etwas darüber. Kein Wunder, denn um eine Aussage darüber zu machen, müsste man mehrere Wochen oder gar Monate warten. Und die meisten Käufer geben ihr Urteil eben relativ schnell nach dem Erhalt der Ware ab.

Warum das Bewertungssystem nicht immer funktioniert

Es gibt Situationen, in denen das eBay-Bewertungssystem schlicht und ergreifend versagt. Eigentlich sollten Käufer und Verkäufer ihre Bewertungen dann abgeben, wenn für sie die Transaktion beendet ist: Verkäufer also nach dem Erhalt des Geldes und Käufer nach dem Erhalt der Ware. In der Praxis aber werden viele Verkäufer nicht von sich aus aktiv, sondern warten, bis der Käufer seine Bewertung abgegeben hat. Fällt diese negativ aus, reagieren sie mit einer Rachebewertung und geben ebenfalls eine Negativbewertung ab. Der Trick an der

Sache: Der Verkäufer bietet dem Käufer nun oft an, seine Negativbewertung zurückzuziehen, sofern dieser es ihm gleichtut. Viele Käufer gehen darauf ein, da sie ihrerseits ihr Bewertungsprofil sauber halten wollen.

Im Ergebnis führt dies allerdings dazu, dass ein Verkäufer mangelhafte Waren oder schlechten Service anbieten kann, ohne dass sich das sofort im Bewertungsprofil niederschlägt, da die Zahl der Negativbewertungen nicht weiter ansteigt.

Nur wenn Sie genau hinschauen, können Sie einem solchen Händler auf die Schliche kommen: Rufen Sie das ausführliche Bewertungsprofil auf, finden Sie am oberen Rand der Tabelle den Eintrag *Bewertung einvernehmlich zurückgenommen*. Steht hier eine hohe Zahl, deutet das darauf hin, dass mit Produkten oder Service des Händlers irgendetwas nicht in Ordnung ist.

Bewertung als Verkäufer	Bewertung als Käufer	Alle Bewertu
Bewertung einvernehmlich zurückgenommen: 946		

Viele zurückgenommene Bewertungen sind nicht immer ein gutes Zeichen.

Einen weiteren Hinweis bietet die vor einiger Zeit von eBay eingeführte Sterne-Bewertung: Rechts oben im Bewertungsprofil befindet sich die *Detaillierte Verkäuferbewertung*, die Auskunft über insgesamt vier Kriterien gibt: *Artikel wie beschrieben*, *Kommunikation*, *Versandzeit* sowie *Versand- und Verpackungsgebühren*. Diese Bewertungen werden anonym von den Käufern abgegeben und haben daher eine höhere Aussagekraft.

Spezialseiten:
eBay Express und die eBay Shops

eBay kennt verschiedene Spezialbereiche, die Sie nicht so ohne Weiteres aus dem „normalen" eBay heraus erreichen.

Das steckt hinter eBay Express

eBay Express ist ein eigenes Angebot von eBay, das ursprünglich komplett vom „normalen" eBay getrennt war, jetzt aber Schritt für Schritt integriert wird. Oft erhalten Sie bei einer Suche in der Ergebnisliste den Hinweis, dass es auch entsprechende Angebote bei eBay Express gibt. Mit einem Mausklick auf die Information wechseln Sie auf die Seite.

Erste Schritte

Info

eBay Express – ein hoffnungsvoller Flop?

eBay hat das Angebot eBay Express erst 2006 gestartet. Manche Experten reden allerdings schon davon, dass es gefloppt sei. Ganz von der Hand weisen lässt sich das nicht: Selbst in den eBay-Foren klagen viele Händler, dass die neue Verkaufsplattform ihre Erwartungen nicht erfülle und zu wenig Kunden sie fänden. Vor einem Kauf in eBay Express sollten Sie vergleichen, ob der Artikel nicht im regulären eBay-Angebot (vielleicht sogar vom gleichen Händler) günstiger zu haben ist.

Um eBay Express direkt aufzurufen, laden Sie die Seite www.ebayexpress.de. Schon am Layout sehen Sie, dass es sich um ein eigenständiges Angebot handelt, bei dem etwas andere Regeln gelten. Sie können sich zwar mit Ihrem eBay-Namen und dem gleichen Passwort einloggen, allerdings gibt es bei eBay Express keine Auktionen, sondern nur neue Waren zum Sofortkauf. Sie haben es also ausschließlich mit professionellen Händlern zu tun. Vorteil für Sie: Die Anbieter wurden von eBay besonders geprüft und für zuverlässig befunden.

eBay Express sieht schon vom Layout her anders aus als eBay – auch in anderen Bereichen gibt es große Unterschiede.

Das finden Sie in den eBay Shops

Hinter den eBay Shops verbergen sich die gesammelten Auktionen und Informationen einzelner Mitglieder. eBay hat diese thematisch geordnet, sodass Sie zum Beispiel mehrere Mitglieder finden können, die alles rund ums Fahrrad anbieten. In den Shops treffen Sie vor allem professionelle Händler an; Privatanbieter richten – obwohl das problemlos möglich ist – nur selten einen eigenen Shop ein. Der Kauf mit Hilfe der Shops kann durchaus Vorteile haben: Suchen Sie beispielsweise ein Fahrrad und dazu einige Zubehörteile wie Luftpumpe oder Tachometer, dann kann es sich lohnen, alle Teile bei einem Anbieter zu kaufen. Auf diese Weise sparen Sie – falls der Verkäufer den gesammelten Versand in einem Paket anbietet – Portokosten. Am schnellsten können Sie auf die eBay Shops von der Startseite von eBay aus zugreifen: Sie finden dort unter *Spezialseiten* einen direkten Verweis.

Starthilfe: Die eBay-Hilfen und -Foren

eBay bemüht sich, Einsteigern die Nutzung der Seite zu vereinfachen. Man hat daher diverse sogenannte Touren erstellt. Dahinter verbergen sich Multimediapräsentationen, die Schritt für Schritt jeweils einen Bereich von eBay erklären. Sie sehen dabei quasi den jeweiligen Bildschirm vor sich; ein Mauszeiger macht Sie auf die gerade laufende Aktion aufmerksam, und ein Sprecher erklärt das Ganze. Allerdings beschränken sich diese Touren in der Regel auf grundlegende Funktionen von eBay.

So geht's:

Um eine der Multimediapräsentationen von eBay anzusehen, gehen Sie wie folgt vor:

1. Um eine der Touren auszuprobieren, rufen Sie die Startseite von eBay auf und wählen Sie aus der Serviceleiste den Eintrag *Gemeinschaft*.
2. Es öffnet sich eine neue Seite. Klicken Sie in der Rubrik *Gewusst wie!* auf *Trainingsportal*. Erneut wird eine neue Seite geladen, auf der Sie den Bereich *eBay Online-Training* finden. Klicken Sie dort auf *Weiter...*
3. Nun sehen Sie eine Übersicht über alle verfügbaren Präsentationen. Suchen Sie sich eine der Touren aus und klicken Sie das entsprechende Symbol an. Die Tour startet automatisch. Das kann – je nach Geschwindigkeit Ihrer Internetverbindung – allerdings ein wenig dauern, da umfangreiche Sound- und Grafikdateien übertragen werden müssen.

Erste Schritte

Diskutieren und informieren: Die eBay-Foren

Wissen Sie mal nicht weiter, dann können Sie im eBay-Forum eventuell von Gleichgesinnten Hilfe bekommen. Das eBay-Forum ist der Ort, an dem Sie offizielle Mitteilungen von eBay finden (zum Beispiel über Änderungen im System) und sich mit anderen eBay-Nutzern austauschen können. Um dorthin zu gelangen, öffnen Sie die Startseite von eBay und klicken Sie in der Serviceleiste auf *Gemeinschaft*.

Sie haben nun mehrere Möglichkeiten:

- Unter *Meine eBay Welt* können Sie Informationen über sich selbst hinterlegen. Es ist sogar möglich, hier ein persönliches Bild einzublenden, sodass sich andere im wahrsten Sinne des Wortes ein Bild von Ihnen machen können.
- Die *eBay Blogs* sind eine Art Internettagebuch, in dem eBay-Mitglieder ihre persönlichen Erfahrungen mitteilen können. Diese Texte sind dann von allen anderen einsehbar. Derzeit werden die Blogs allerdings häufig für Werbung missbraucht, sodass sich dort nicht allzu viele interessante Inhalte finden.
- Unter *Clubs* können Sie sich darüber informieren, was es an Clubs und eBay-Stammtischen in Ihrer Umgebung gibt. In der eBay-Datenbank sind auch viele Hobbyclubs eingetragen, zu denen Sie auf diese Weise Kontakt finden können.
- In den *Hilfe-Foren* können Sie von den Erfahrungen anderer eBay-Mitglieder profitieren. Erfahrene eBay-Mitglieder stehen dort bereit und helfen Ihnen, wenn Sie Fragen haben.
- In den *Diskussions-Foren* schließlich kommen Sie mit anderen eBay-Mitgliedern ins Gespräch. Im Gegensatz zu den Hilfe-Foren gibt es hier nicht unbedingt erfahrene Mitglieder, die eine Diskussion leiten, dafür können Sie munter über alle Themen plaudern.

Sie brauchen Hilfe? In den Hilfe-Foren stehen Ihnen erfahrene eBay-Mitglieder mit Rat und Tat zur Seite.

Zu den eBay-Gebühren

Natürlich kostet der Handel bei eBay Geld. Das Auktionshaus ist ein Unternehmen und will demzufolge auch Umsatz machen. Die Gebühren müssen allerdings die Verkäufer übernehmen; eBay hat es strikt untersagt, dass Käufern Gebühren direkt aufgebürdet werden. Letztlich tragen Sie als Käufer aber natürlich doch Ihren Anteil dazu bei, denn der Verkäufer muss die eBay-Gebühren mit in seine Kalkulation einbeziehen und entsprechend auf den Warenpreis aufschlagen.

Wie stark die Gebühren für den Verkäufer zu Buche schlagen, ist sehr unterschiedlich: Festgelegt von eBay sind eine Angebotsgebühr und ein prozentualer Anteil am Verkaufspreis. Hinzu kommen Kosten für bestimmte Zusatzoptionen, zum Beispiel wenn der Verkäufer will, dass sein Artikel auf der Startseite von eBay angezeigt wird. Wirklich interessant werden die Gebühren erst dann für Sie, wenn Sie selbst Waren über eBay verkaufen wollen – nähere Informationen finden Sie im Kapitel *Weg mit dem Krempel: Eigene Artikel bei eBay verkaufen* (→ Seite 91).

In jedem Fall sollten Sie sich als Käufer klarmachen, dass Sie Werbung und Präsentation eines Artikels in jedem Fall indirekt mitbezahlen müssen: Wenn ein Verkäufer seine Artikel besonders aufwendig bewirbt und entsprechend Werbung auf der Startseite von eBay geschaltet hat, muss er diese Zusatzkosten mit einkalkulieren – ein Verkäufer, der diesen Aufwand nicht treibt, ist zwar vielleicht im eBay-System schwerer zu entdecken, kann vermutlich aber einen besseren Preis bieten.

Top-Angebote werden in eBay besonders herausgehoben, der Verkäufer muss allerdings auch höhere Gebühren dafür zahlen.

Das sind die Alternativen zu eBay

Wollen Sie per Internet etwas ersteigern, führt an eBay kaum ein Weg vorbei; das Auktionshaus bietet einfach in fast allen Warengruppen das größte Angebot. Einer großen Zahl an Händlern steht eine noch größere Zahl an eBay-Mitgliedern gegenüber, sodass über die Internetseite entsprechend hohe Umsätze gemacht werden. Trotzdem macht es Sinn, sich im Internet nach Alternativen umzuschauen, denn es gibt auch außerhalb von eBay gute Auktionsplattformen, bei denen sich das eine oder andere Schnäppchen machen lässt.

Hier einige Seiten im Überblick:

www.hood.de

Eine der populärsten Alternativen zu eBay ist das Online-Auktionshaus Hood. Der große Vorteil: Die Auktionen hier sind kostenlos, weder Käufer noch Verkäufer müssen Gebühren zahlen. Hood ist in Deutschland die Nummer zwei nach eBay und sicherlich einen Blick wert.

www.azubo.de

Eine interessante Auktionsseite vor allem deshalb, weil sie den Spieß

Erste Schritte

umdreht: Hier werden die Waren nicht immer teurer, sondern immer billiger. Und das funktioniert so: Ein Händler gibt einen Startpreis und einen Mindestpreis für eine Ware vor. Während die Auktion läuft, sinkt der Preis der Ware kontinuierlich. Das geht so lange, bis die Auktion endet oder bis ein Käufer sich beim aktuellen Preis entscheidet zuzugreifen.

www.auktionssuche.de

Es gibt inzwischen Hunderte von Online-Auktionshäusern, und täglich kommen neue hinzu. Da fällt es schwer, den Überblick zu bewahren. Müssen Sie aber auch gar nicht: Einfach den Namen des gewünschten Artikels auf der Webseite www.auktionssuche.de eingeben. Das Angebot überprüft Hunderte von Auktionshäusern nach der gewünschten Ware und liefert eine entsprechende Ergebnisliste. Auch hier steht eBay meist an der Spitze der Liste, doch manchmal gibt es auch überraschende Alternativen.

Die Internetseite www.auktionssuche.de kennt auch viele kleinere Auktionshäuser und deren Angebote.

Weitere Auktionssuchmaschinen sind:

- www.atat.de
- www.auctionsearch.de
- www.auktionsindex.de
- www.asearch.de

Probieren Sie einfach mal aus, welche aus Ihrer Sicht die besten Ergebnisse bringt und welche von der Bedienung her Ihren Vorlieben am besten entspricht.

Das sind die Alternativen zu eBay

Alternativen beim Onlineshopping

Häufig werden Sie Artikel bei eBay gar nicht per Auktion erstehen, sondern als Sofortkauf-Artikel. Da lohnt es sich, vorher eine Preissuchmaschine zu bemühen, denn reguläre Onlineshops, in denen neue Waren zum Festpreis angeboten werden, gibt es inzwischen tausendfach.

www.guenstiger.de

Hier hilft Ihnen der „Güns-Tiger" bei der Suche nach den günstigsten Preisen. Die Preissuchmaschine hat sich vor allem auf hochwertige Elektrogeräte wie Digitalkameras und Computer oder auf wichtige Haushaltsgeräte wie Waschmaschinen und Trockner spezialisiert. Die STIFTUNG WARENTEST hat das Internetangebot als „übersichtlich" und „informativ" bewertet.

www.billiger.de

Die Preissuchmaschine kooperiert mit der STIFTUNG WARENTEST – Sie haben die Möglichkeit, zu vielen Produkten den dazugehörigen Test einzusehen. Das kann für die Auswahl eines Geräts wichtige Impulse geben.

Die Webseite www.billiger.de ist eine von zahlreichen Preissuchmaschinen, die helfen, einen günstigen Onlineshop zu finden.

www.schottenland.de

Hinter www.schottenland.de steckt eine Reihe von Internetseiten, die einen Preisvergleich für jeweils eine Warengruppe anbieten, zum Beispiel für Computer, Software, DVDs oder Medikamente.

Erste Schritte

> **Tipp**
>
> **Onlinesiegel geben Sicherheit.**
>
> Kaufen Sie in einem Onlineshop, sollten Sie darauf achten, dass Sie es mit einem seriösen Anbieter zu tun haben. Pflicht sind beispielsweise ein Impressum und eine korrekte Preisauszeichnung: Alle Preise sollten inklusive Mehrwertsteuer angegeben werden, und es sollte auch klar sein, was noch an Versandkosten hinzukommt. Besondere Sicherheit bieten Onlinesiegel wie das Safer-Shopping-Siegel des TÜV. Onlineshops dürfen solche Siegel nur dann führen, wenn sie bestimmte Kriterien erfüllen.
>
> Auf der Seite www.kaufenmitverstand.de finden Sie wichtige Tipps und Hinweise, die Sie davor bewahren, auf unseriöse Händler hereinzufallen.

Kapitel 2
Suchen, finden und kaufen

Suchen, finden und kaufen

Suchen, finden und kaufen: So geht's

Fast sieben Millionen Artikel hat alleine eBay Deutschland ständig im Angebot. Die Übersicht zu behalten, ist da praktisch unmöglich. Das Einzige, was Sie tun können, um Ihren Wunschartikel zum günstigsten Preis zu finden: wissen, wo und wie Sie suchen müssen. In diesem Kapitel lernen Sie, sich richtig auf die Suche zu machen und mit ein paar kleinen Tricks anderen Bietern im entscheidenden Moment um eine Nasenlänge voraus zu sein.

Ordnung muss sein: Das Kategoriensystem

Direkt auf der Startseite von eBay befindet sich eine Liste mit allen Hauptkategorien des Online-Auktionshauses. Diese Kategorien sind der wichtigste Schlüssel zur Ordnung in dem System: Jeder Artikel bei eBay ist in mindestens eine dieser Kategorien eingeordnet. Gegen eine Zusatzgebühr kann der Verkäufer einen Artikel in eine weitere Kategorie einstellen.

Mit Hilfe dieser Kategorien lässt sich schnell ein Überblick über das Angebot in bestimmten Bereichen gewinnen. Auf der Startseite ist dabei nur jeweils die Hauptkategorie zu sehen. Dahinter verbergen sich zum Teil mehrere Dutzend Unterkategorien. Nachdem Sie eine der Hauptkategorien angeklickt haben, bekommen Sie nochmals eine Übersichtsseite angezeigt, auf der die jeweiligen Unterkategorien aufgelistet sind. Erst, wenn Sie nun eine dieser Unterkategorien anklicken, öffnet sich die Seite mit den einzelnen Angeboten. Dort können Sie in Ruhe stöbern und die einzelnen Auktionen anschauen.

Auf der Startseite sind nur die Hauptkategorien zu finden, doch auch diese Liste ist schon recht lang.

Kategorien durchstöbern

Das eBay-System, Artikel in Kategorien einzuordnen, hat eine Menge Vorteile: Fast immer genügen wenige Mausklicks für einen ersten Eindruck von der Vielfalt der in einem Bereich angebotenen Waren.

Auf der anderen Seite ist es vor allem für Verkäufer manchmal gar nicht so leicht, exakt die Kategorie zu finden, in der das eigene Angebot am besten aufgehoben ist. Nehmen wir an, Sie möchten einen Akku kaufen. Akkus sind im Bereich *Heimwerker & Garten* in der Kategorie *Elektromaterial* zu finden. Viele Angebote gibt es aber auch in der Kategorie *Foto & Camcorder | Digitalkamera-Zubehör*.

Der Grund liegt auf der Hand: Viele Verkäufer vermuten – und das wohl auch zu Recht –, dass vor allem die Käufer stromhungriger Di-

Ordnung muss sein: Das Kategoriensystem

gitalkameras einen großen Bedarf an Akkus haben und daher beim Stöbern vielleicht schneller auf ihr Angebot treffen. Sich ausschließlich an den Kategorien in eBay zu orientieren, ist daher nicht immer empfehlenswert – teilweise sind die interessanten Angebote in Kategorien versteckt, in denen man sie nicht unbedingt erwartet hätte.

Um zu sehen, was es alles an Unterkategorien in eBay gibt, öffnen Sie die Startseite von eBay und klicken Sie auf die Schaltfläche *Finden*. Es öffnet sich daraufhin eine neue Seite, auf der alle Haupt- und Unterkategorien angezeigt werden. Nicht erschrecken – die Liste ist ziemlich lang und zeigt doch nur die jeweils erste Unterkategorie; es gibt fast überall noch eine dritte oder sogar vierte Ebene. Hinter jedem Eintrag steht übrigens eine Zahl in Klammern. Diese gibt an, wie viele Angebote in der jeweiligen Kategorie gerade vorhanden sind.

Info

eBay im Wandel

Gerade die Zahl und der Aufbau der Kategorien sind bei eBay ständigen Änderungen unterworfen. Mal kommt eine Kategorie hinzu, mal fällt eine weg oder ändert ihren Titel. Seien Sie also nicht überrascht, wenn Sie Waren plötzlich in einer anderen Kategorie finden als noch Wochen zuvor.

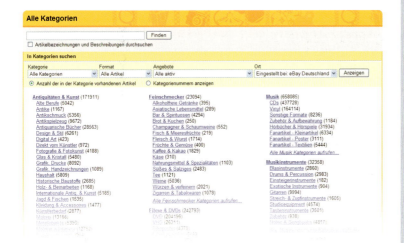

Die Liste der Haupt- und Unterkategorien hilft bei einer ersten Orientierung.

So geht's:

Um in den eBay-Kategorien zu stöbern, gehen Sie wie folgt vor:

1. Wenn Sie nicht genau wissen, unter welcher Hauptkategorie Sie einen gewünschten Artikel finden, öffnen Sie die Startseite von eBay und klicken Sie auf die Schaltfläche *Finden*.
2. Es erscheint eine neue Seite. Dort sind in einer langen Liste alle Hauptkategorien und die jeweils erste Unterkategorie zu finden. Schauen Sie hier in Ruhe durch, und klicken Sie dann auf die gewünschte Kategorie oder Unterkategorie.
3. Da die Liste auf dieser Seite sehr lang ist, können Sie die Suche

Suchen, finden und kaufen

verkürzen: Drücken Sie die Tastenkombination `Strg`+`F`. Der Browser öffnet ein kleines Zusatzfenster; dort können Sie einen Suchbegriff eingeben und auf der aktuellen Seite danach forschen.

Besser und gezielter suchen

Die Suche nach Artikeln in den Kategorien ist nur eine Möglichkeit, um in eBay fündig zu werden. Fast noch interessanter ist es, per Suchbegriff die eBay-Datenbank zu durchstöbern. Die Vorteile: Wenn man weiß, wie's geht, lässt sich wesentlich gezielter nach einzelnen Artikeln fahnden. Zudem sind Sie weitestgehend unabhängig davon, welche Kategorie der Anbieter einem Artikel zugewiesen hat. Das kann ein echter Vorteil sein, denn dass ein Artikel versehentlich in der falschen Kategorie landet, kommt gar nicht so selten vor.

Mit der Stichwortsuche kann man schon auf der Startseite beginnen – dort gibt es ein entsprechendes Eingabefeld.

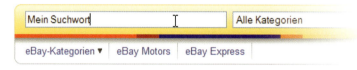

Richtig suchen von Anfang an

Welchen Suchbegriff Sie eingeben und wie Sie diesen mit den weiteren Eingabemöglichkeiten von eBay kombinieren, ist entscheidend für den Erfolg Ihrer Suche. eBay bietet dabei eine ganze Reihe von Optionen, die eine sehr zielgerichtete Suche erlauben.

So geht's:

Um Ihre eBay-Suche zu starten, gehen Sie wie folgt vor:

1. Beginnen können Sie Ihre Suche auf der Startseite von eBay. Geben Sie im dortigen Textfeld Ihren Suchbegriff ein.
2. Neben dem Textfeld finden Sie ein Listenfeld, das Sie durch einen Klick auf den kleinen Pfeil am rechten Rand aufklappen können. Sie können dort sofort festlegen, ob Sie gezielt nur in einer der Hauptkategorien suchen möchten. Diese Auswahlmöglichkeit haben Sie aber auch noch später.
3. Um die Suche zu starten, klicken Sie auf *Finden*. eBay durchsucht nun die Überschriften aller Auktionen nach dem Begriff – allerdings ausschließlich die Überschriften.

Besser und gezielter suchen

4. Um innerhalb der Auktionstexte zu suchen und deutlich mehr Ergebnisse zu bekommen, müssen Sie auch die Artikelbeschreibungen durchsuchen. Das geht ganz leicht: Auf der Seite mit den Ergebnissen finden Sie direkt unter dem Feld mit Ihrem Suchbegriff ein Optionsfeld mit dem Titel *Artikelbezeichnung und Beschreibung durchsuchen*. Kreuzen Sie diese Option an und klicken Sie erneut auf *Finden*. Nun startet die neue Suche, die auch die Auktionstexte mit einbezieht.
5. Werden dabei sehr viele Ergebnisse erzielt, verkürzt eBay die Liste der Kategorien, die Sie am linken Rand unter der Überschrift *In Kategorie* finden. Um alle Kategorien anzuzeigen, in denen Ihr Suchbegriff vorkommt, klicken Sie in diesem Bereich auf *In allen Kategorien suchen...*
6. Sie sollten nun eine recht ansehnliche Zahl an Suchergebnissen bekommen. Die Liste ist dabei automatisch nach dem Ablaufdatum der Angebote geordnet, unabhängig davon, in welcher Kategorie die Waren angeboten werden.

Tipp

Hilft nicht nur beim Suchen: Die eBay-Toolbar

Bei der Toolbar handelt es sich um ein kleines Hilfsprogramm, das eBay Ihnen kostenlos anbietet. Das Programm klinkt sich direkt in den Internetbrowser (zum Beispiel den Internet Explorer) ein und erscheint dort als zusätzliche Symbolleiste. Sie finden dort auch ein Texteingabefeld, in das Sie einen Suchbegriff eintippen können, um schnell auf der eBay-Seite zu suchen. Zudem gibt es die Möglichkeit, sich an gemerkte Auktionen erinnern zu lassen oder schneller zum Bereich *Mein eBay* zu wechseln. Sie können die eBay-Toolbar direkt von der eBay-Seite aus installieren. Am unteren Ende der Startseite finden Sie ein entsprechendes Symbol.

So arbeiten Sie mit Suchoptionen

Wenn Sie Artikelbezeichnung und Beschreibung durchsuchen lassen, bekommen Sie fast immer eine hohe Zahl an Treffern – kein Wunder, denn die eBay-Datenbank umfasst Millionen Artikel. Bei manchen Begriffen – zum Beispiel „DVD" – ist die Trefferrate so hoch, dass eBay

Suchen, finden und kaufen

erst gar keine Ergebnisliste, sondern eine Spezialseite anzeigt, auf der Sie alles rund um die DVD finden.

Doch auch wenn es eine Ergebnisliste gibt: Manchmal werden Sie von der Fülle der Angebote regelrecht erschlagen – eine Liste mit Zehntausenden Artikeln kann man nicht mehr durchsehen. Der Trick ist daher, die Suche so exakt wie möglich zu definieren, um genau die gewünschten Artikel präsentiert zu bekommen. Sie können dazu mit speziellen Steuerbefehlen arbeiten. Klingt ein wenig kompliziert, ist es aber gar nicht.

Geben Sie zum Beispiel zwei Suchwörter ein (zum Beispiel „Computer" und „Monitor"), wird nur nach Auktionen gesucht, in denen beide Begriffe vorkommen. Ebenso können Sie Wörter ausschließen, mit Platzhaltern suchen oder einen genauen Wortlaut festlegen. Hier die wichtigsten Suchmöglichkeiten im Überblick:

Ihre Eingabe	eBay sucht nach Artikelbeschreibungen, die ...
Computer Monitor	... sowohl das Wort „Computer" als auch das Wort „Monitor" enthalten.
(Computer, Monitor)	... entweder das Wort „Computer" oder das Wort „Monitor" enthalten.
Computer –(Monitor)	... das Wort „Computer", aber nicht „Monitor" enthalten.
Computer*	... aus Kombinationen von „Computer" mit anderen Worten bestehen, zum Beispiel Computertechnik, Computersoftware etc.
„Computer Monitor"	... exakt die Wörter „Computer" und „Monitor" enthalten – und zwar in dieser Reihenfolge.

Die erweiterte Suche

eBay bietet Ihnen mit der erweiterten Suche noch zahlreiche weitere Möglichkeiten, nach Auktionen und Artikeln Ausschau zu halten.

So geht's:

Um die erweiterte Suche zu nutzen, gehen Sie folgendermaßen vor:

Eine Suche abspeichern

1. Rufen Sie die Startseite von eBay auf. Rechts neben der Serviceleiste finden Sie ganz klein den Text *Erweiterte Suche*. Auf diese Beschriftung müssen Sie klicken.
2. Anschließend öffnet sich eine neue Seite. Dort können Sie zum Beispiel nach Artikeln mit einem bestimmten Mindest- und/oder Höchstpreis suchen oder auch alle Auktionen finden, bei denen sich der Verkäufer in Ihrer Nähe befindet. Klicken Sie auf *Nach Verkäufer*, können Sie zudem nach eBay-Mitgliedern suchen.

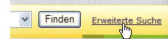

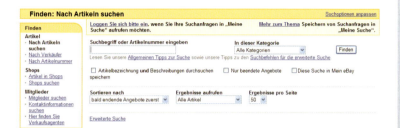

Die erweiterte Suche bietet jede Menge Möglichkeiten, um sehr gezielt in der eBay-Datenbank zu stöbern.

Eine Suche abspeichern

Das passiert relativ häufig: Sie haben sich mühsam durch zahlreiche Suchoptionen gekämpft und genau die Suche definiert, die Sie wollten. Nur leider sind derzeit keine Artikel im Angebot, die Ihren Kriterien entsprechen. In diesem Fall sollten Sie die Suche einfach in eBay abspeichern. Das hat mehrere Vorteile: Beim nächsten Besuch haben Sie die gewünschten Kriterien mit wenigen Mausklicks griffbereit. Zudem können Sie eine komplette Suche vorab definieren und sich auf Wunsch sogar per E-Mail informieren lassen, falls ein Artikel, der Ihren Suchkriterien entspricht, neu bei eBay angeboten wird.

So geht's:

Um eine Suche zu definieren und zu speichern, gehen Sie folgendermaßen vor:

1. Angenommen, Sie suchen Apple-Computer aus den 1970er-Jahren. Dann geben Sie als Suchbegriffe „Apple", „Computer" und „197*" (mit dieser Eingabe werden die Zahlen 1971, 1972, 1973 etc. in einem Artikeltext gefunden) ein.
2. Selbst wenn diese Suche nun erfolglos bleibt, ist das nicht schlimm: In der Titelleiste der Ergebnisliste finden Sie den Text *Diese Suche speichern*, den Sie anklicken.

Tipp

Suchoptionen direkt auf der Ergebnisseite wählen

Viele der bei der erweiterten Suche angebotenen Optionen finden Sie auch auf der Ergebnisseite einer ganz normalen Suche. Auf der linken Seite gibt es jeweils eine Leiste mit zahlreichen Optionen, über die Sie die Suche weiter einschränken und verfeinern können.

Diese Suche speichern

Suchen, finden und kaufen

3. Sie bekommen jetzt (eventuell erst, nachdem Sie sich eingeloggt haben) ein kleines Zusatzfenster mit einer Eingabemaske präsentiert. Geben Sie dort eine Bezeichnung für die Suche ein; standardmäßig trägt eBay hier Ihre Suchkriterien ein.
4. Zudem können Sie in diesem Zusatzfenster festlegen, ob Sie per E-Mail informiert werden möchten, falls ein Artikel mit Ihren Suchkriterien neu eingestellt wird. eBay speichert die Suche bis zu zwölf Monate und erinnert Sie per Mail an entsprechend eingestellte Artikel. Haben Sie alle Kriterien wie gewünscht eingestellt, klicken Sie auf *Speichern*.
5. Bereits gespeicherte Suchanfragen können Sie über den Bereich *Mein eBay* anschauen und verändern. Sie finden sie unter *Favoriten | Suchanfragen*.

Im Bereich *Mein eBay* können Sie unter *Favoriten | Suchanfragen* eine gespeicherte Suche ansehen, verändern und löschen.

In Ergebnislisten den Überblick behalten

Sind Sie auf der Suche nach einem gängigen Artikel, kann es passieren, dass die Ergebnisliste mehrere Dutzend Seiten umfasst. Das ist zu viel, um schnell mal drüberzuschauen und das günstigste Angebot auszumachen.

Am Ende der Ergebnisliste finden Sie Schaltflächen, um zur nächsten Seite weiterzublättern.

Möglichkeit eins: Sie gehen Seite für Seite durch. Am Ende jeder Ergebnisseite finden Sie einen Überblick, wie viele Seiten mit Ergebnissen gefunden wurden. Die ersten neun Seiten sind direkt abrufbar; danach können Sie über die Schaltflächen *Weiter* beziehungsweise *Zurück* blättern. Oder Sie geben die gewünschte Seitenzahl direkt in das Feld ganz rechts ein.

Noch einfacher aber ist es, den Wust an Suchergebnissen

In Ergebnislisten den Überblick behalten

auf andere Weise zu bewältigen. Sie können die Liste nach Kriterien sortieren und so schneller Ordnung hineinbringen.

> **Achtung**
>
> **Nicht über die Top-Angebote stolpern**
>
> eBay bietet allen Verkäufern die Möglichkeit, die angebotenen Artikel gegen eine Zusatzgebühr als Top-Angebote zu präsentieren. Diese Angebote stehen dann bei jeder Suche ganz oben in der Liste; erst danach beginnt die Liste mit allen Angeboten – erkennbar an einer Trennlinie. Für Sie als Käufer bedeutet das: Es lohnt sich, die Liste der Top-Angebote zu überspringen und unter der Trennlinie nachzuschauen – die Auswahl ist dort größer. Da die Liste der Top-Angebote oft recht lang ist, werden viele Käufer zudem gar nicht bis dorthin vordringen – bei vielen Artikeln ist der Andrang damit deutlich geringer.

Neu eingestellte Artikel zuerst

Um die Liste nach Einstelldatum sortieren zu lassen, klicken Sie in der Titelzeile der Liste auf *Restzeit*. Sie bekommen nun auf der ersten Seite alles angezeigt, was erst vor Kurzem neu eingestellt wurde. Interessant ist das vor allem, wenn Sie einen Artikel zum Sofortkauf suchen.

Nach aktuellem Preis sortieren

Auch nach dem Preis lässt sich die Ergebnisliste leicht sortieren: Klicken Sie einmal auf *Preis* in der Titelzeile der Liste. Die teuersten Produkte stehen nun oben. Ein erneuter Mausklick auf *Preis* kehrt die Liste um, die günstigsten Artikel erscheinen nun zuerst.

Artikel in der Nähe finden

Bei manchen Artikeln ist ein Versand per Post praktisch ausgeschlossen. Eine Waschmaschine zum Beispiel wird Ihnen kein Postbote vor die Haustür, geschweige denn in den dritten Stock tragen. Bei solchen Artikeln wollen die Verkäufer häufig, dass man diese selbst abholt, zumal auch ein Versand per Spedition für Otto Normalverkäufer zu kompliziert ist. Sie können daher bewusst nach Artikeln Ausschau halten, die sich in Ihrer Nähe befinden. So gehen Sie möglichen Versandproblemen von vornherein aus dem Weg.

Am linken Rand der Ergebnisliste finden Sie einen Abschnitt *Suchoptionen*. Dort kreuzen Sie die Option *Artikel im Umkreis von* an. Sind Sie eingeloggt, ist Ihre Postleitzahl bereits eingetragen, ansonsten können Sie das nachholen. Zudem müssen Sie über das Listenfeld eingeben, in welchem Umkreis um die Postleitzahl die Artikel angeboten werden sollen: eBay kennt Abstufungen zwischen 10 und 2 000 Kilometern.

Suchen, finden und kaufen

Auktion oder Sofortkauf?

Wollen Sie nur Auktionen oder Artikel mit der Option *Sofort Kaufen* angezeigt bekommen? Oder ausschließlich Neuware von Händlern, die als *Sofort & Neu* angeboten wird? Die Auswahl darüber treffen Sie über die Reiter am oberen Rand der Ergebnisseite und über die Suchoptionen.

| **Alle Artikel** | Auktionen | Sofort-Kaufen |

Klicken Sie am oberen Rand auf *Alle Artikel* (das ist die Standardeinstellung) oder auf *Auktionen* beziehungsweise *Sofort Kaufen*. Um ausschließlich Artikel mit der Option *Sofort & Neu* anzeigen zu lassen, aktivieren Sie die entsprechende Option im Bereich *Suchoptionen* auf der linken Seite der Ergebnisliste.

Info

Jede Auktion hat eine Nummer.

Jede Auktion bei eBay hat eine zehnstellige Artikelnummer. Diese wird von eBay automatisch vergeben, sobald der Verkäufer die Auktion einstellt. Das Tolle für Sie als Nutzer: Über die Artikelnummer ist der Artikel eindeutig zu identifizieren – in der Regel 90 Tage lang. So lange speichert eBay den Artikel in seiner Datenbank; danach wird die Nummer wieder für einen neuen Artikel freigegeben. Sie finden die Artikelnummer fast auf jeder Seite, die in direktem Zusammenhang mit einer Auktion steht: Auf einer Artikelseite steht sie oben rechts. Ein Artikel lässt sich über die Artikelnummer sogar schnell wiederfinden: Geben Sie im Suchfeld auf der Startseite einfach die Artikelnummer ein.

Suchoptionen nutzen

Der Bereich *Suchoptionen* wird in jeder Ergebnisliste auf der linken Seite eingeblendet. eBay überarbeitet diesen Bereich des Öfteren, sodass von Zeit zu Zeit neue Optionen hinzukommen. Durch die Optionen haben Sie die Möglichkeit, eine sehr detaillierte Auswahl vorzunehmen. So können Sie sich beispielsweise alle Auktionen anzeigen lassen, die innerhalb der nächsten Stunde enden – in der Hoffnung, auf die Schnelle ein Schnäppchen zu machen. Oder Sie geben einen Preisbereich vor und legen fest, was der Artikel kosten darf.

eBay macht weitere Suchvorschläge

eBay schaut den Nutzern bei allen Suchvorgängen über die Schulter und kennt daher die beliebtesten Suchbegriffe. Unterhalb des Textfelds für die Eingabe des Suchbegriffs finden Sie auf jeder Ergebnisseite mehrere Vorschläge für ähnliche Suchen. Die Vorschläge verhelfen Ihnen oft schnell zu brauchbaren Ergebnissen.

So sind die Artikelseiten von eBay aufgebaut

Haben Sie eine Liste mit den gewünschten Artikeln vor sich und diese vielleicht auch schon entsprechend sortiert, geht es an die Sichtung der einzelnen Produkte. Mit ein wenig Routine geht das im Handumdrehen, denn im Prinzip sind alle Artikelseiten gleich aufgebaut.

- **Wie viel Zeit hab ich noch?**

Angebotsende: **2 Stunden 54 Minuten**
(04.06.07 09:30:00 MESZ)

Im oberen Bereich jeder Auktionsseite finden Sie Informationen darüber, wann die Auktion gestartet wurde, wann sie endet und wie viel Zeit bis dahin noch bleibt. Die verbleibende Zeit wird von eBay selbst errechnet, was bedeutet, dass diese Angabe für alle Internetnutzer gleich ist, egal, was die Uhr Ihres eigenen Computers anzeigt. Achtung: Berechnet wird die Zeit immer zu dem Zeitpunkt, zu dem Sie die Artikelseite aufrufen. Wollen Sie eine aktualisierte Zeitangabe (weil es bei den Auktionen manchmal auf Sekunden ankommt), klicken Sie im Internetbrowser auf die Schaltfläche *Aktualisieren*.

- **Wie ist der aktuelle Preis?**

Aktuelles Gebot: **EUR 11,62**   Bieten >

Ganz wichtig ist natürlich auch: Was kostet der Artikel zurzeit; wo liegt das höchste Gebot? Auch diese Angaben finden Sie im oberen Bereich der Seite. Das aktuelle Gebot ist der Preis, der bereits von einem eBay-Nutzer geboten wurde. Wollen Sie Höchstbietender werden, müssen Sie dieses Gebot übertrumpfen. Wie viel Sie dazu mindestens bieten müssen, steht am Ende der Seite im Bereich *Bieten*.

Im oberen Bereich der Seite finden Sie auch Informationen darüber, wie viele Gebote bereits für den Artikel abgegeben wurden und wo sich der Verkäufer befindet – das ist vor allem wichtig bei Artikeln, die Sie selbst abholen möchten oder müssen.

- **Artikelbeschreibung und Fotos nutzen**

Etwas weiter unten im Bereich *Beschreibung* beginnt der wohl

Suchen, finden und kaufen

interessanteste Teil der Seite. Diesen Bereich kann der Verkäufer relativ frei gestalten, wie Sie anhand diverser Beispiele bald merken werden. Manche Verkäufer bieten hier nur äußerst knappen Text, andere dagegen überschlagen sich regelrecht, was Text und Grafik angeht. Das Wichtigste aber: Der Text, den Sie hier finden, ist – zusammen mit der Überschrift der Artikelseite – ausschlaggebend, falls es nach dem Kauf Probleme geben sollte. Denn hier in der Artikelbeschreibung sollten möglichst viele Details zu der Ware stehen, zum Beispiel die genaue Typenbezeichnung oder mögliche Defekte. Aus diesem Grund sollten Sie sich den Text auch gründlich durchlesen, wenn Sie einen Artikel kaufen wollen – auch wenn das bei manchen Seiten wirklich schwerfällt.

Die ausführliche Beschreibung des Artikels ist das Interessanteste an den Ergebnisseiten.

Achtung

Nebenkosten erkennen

Manche Verkäufer bieten Artikel zum unschlagbaren Preis an, langen dafür aber bei den Versandkosten kräftig zu. Porto- und Versandkosten von 20 Euro oder mehr machen die vermeintlich billige Ware dann zum eher teuren Vergnügen. Achten Sie deshalb vor dem Kauf darauf, was an Nebenkosten noch fällig wird: In der Regel ist dies unterhalb der Artikelbeschreibung im Bereich *Verpackung und Versand* angegeben – Pflicht ist das aber nicht. Ist auch im Auktionstext nichts zu finden, sollten Sie unbedingt den Verkäufer vorab per E-Mail nach den Nebenkosten fragen.

Nicht erlaubt ist inzwischen, was früher gang und gäbe war: die Übernahme der eBay-Gebühren durch den Käufer. Die eBay-Richtlinien schreiben vor, dass diese Kosten vom Verkäufer zu tragen sind. Daher liest man in vielen Auktionstexten Formulierungen wie: „eBay übernehme ich, Versandkosten der Käufer."

So sind die Artikelseiten von eBay aufgebaut

Vorsichtig sollten Sie übrigens werden, wenn Sie vermeintlich billige Artikel entdecken, die sonst nirgendwo zu einem vergleichbaren Preis angeboten werden. Hier sollten Sie zwei- und dreimal hinschauen. Häufig handelt es sich um Koppelangebote: Die billige Digitalkamera bekommen Sie nur, wenn Sie zugleich einen Vertrag über einen Internetanschluss akzeptieren – der natürlich auch Geld kostet. Oder das neue Handy, das es nur gibt, wenn Sie gleichzeitig einen Zweijahresvertrag unterzeichnen ...

So stellen Sie Fragen an den Verkäufer

Immer wenn etwas unklar ist, Ihnen Informationen fehlen oder Sie sonstige Fragen zu einem Artikel haben, sollten Sie nicht zögern, dem Verkäufer eine E-Mail zu schicken. Auf diese Weise lassen sich manche Missverständnisse bereits von vornherein vermeiden. Zudem ist die Anfrage ein guter Test: Antwortet ein Verkäufer nicht innerhalb von zwei oder drei Tagen auf Ihre Mail, dann sollten Sie sich fragen, wie schnell er wohl den Versand des Artikels bewerkstelligen wird.

Um eine Frage an den Verkäufer zu stellen, rufen Sie die Artikelseite auf. Im Bereich *Angaben zum Verkäufer* finden Sie den Text *Frage an den Verkäufer*. Klicken Sie darauf, öffnet sich eine neue Seite mit einem Formular. Dort können Sie nun Ihre Frage eingeben.

Frage an den Verkäufer

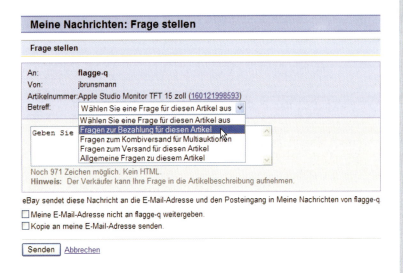

eBay will wissen, worum es sich bei der Frage handelt – Sie müssen das Thema der Frage angeben.

Suchen, finden und kaufen

Artikel sofort kaufen oder mit *Sofort & Neu* erwerben

Viele Artikel bei eBay werden inzwischen zum Sofortkauf angeboten. Vor allem Händler nutzen diese Angebotsart, aber auch Privatverkäufer können ihre Waren so anbieten. Zudem gibt es noch die Angebotsart *Sofort & Neu*. Wie der Name schon sagt, werden hier Neuwaren angeboten, das heißt, dass Sie in diesem Fall auch ein Rückgaberecht und eine Garantie haben. Privatverkäufer schließen dies in der Regel aus. Wollen Sie direkt einen Artikel kaufen, geht das mit wenigen Mausklicks.

So geht's:

Um einen Artikel per Sofortkauf zu erwerben, gehen Sie wie folgt vor:

1. Rufen Sie die Seite mit der Artikelbeschreibung auf und gehen Sie zum unteren Bereich. Sie finden dort einen Abschnitt *Was möchten Sie jetzt tun?*
2. Je nachdem, ob es sich um ein Einzelstück handelt oder der Verkäufer mehrere Exemplare anbietet, finden Sie dort nur die Schaltfläche *Sofort Kaufen* oder zusätzlich noch ein Feld, in das Sie die gewünschte Menge eintragen können.
3. Klicken Sie auf *Sofort Kaufen*, um auf die nächste Seite zu gelangen. Dort müssen Sie (falls noch nicht an anderer Stelle geschehen) eBay-Namen und Passwort eintragen und den Kauf mit einem weiteren Mausklick bestätigen.
   Der Kauf ist damit abgeschlossen; den Artikel kann Ihnen kein anderes eBay-Mitglied mehr streitig machen. Sie bekommen nun eine E-Mail, in der alle wichtigen Daten stehen, unter anderem die Adresse des Verkäufers.
4. Um den fälligen Betrag an den Verkäufer zu überweisen, nutzen Sie die Kaufabwicklung von eBay. Dort finden Sie in aller Regel die Kontodaten des Verkäufers. Viele Händler setzen auch eine andere Kaufabwicklung ein (z. B. Afterbuy); mehr Informationen zum Vorgehen nach einem Kauf finden Sie im Kapitel *Nach dem Kauf: So kommt die Ware zu Ihnen* (→ Seite 63).

Probleme kann es beim Sofortkauf geben, wenn die von Ihnen gewünschte Artikelmenge nicht verfügbar ist. In welcher Menge der Artikel lieferbar ist, sehen Sie oben auf der Artikelseite; unterhalb der Angabe zum Angebotsbeginn steht dort *Menge: xx von xx verfügbar*.

Preis vorschlagen und Artikel günstiger bekommen

Nur noch ein Mausklick, und Sie haben den Artikel gekauft – ohne nervenaufreibendes Bietgefecht.

Recht

Kann ich von einem Kauf zurücktreten?

Ein generelles Rücktrittsrecht ist im deutschen Rechtssystem nicht vorgesehen. Der Glaube, dass es dieses gibt, ist ein beliebter Irrtum, der vor allem dadurch entsteht, dass im Laden ein Umtausch oft auch bei Nichtgefallen möglich ist. Dieser Umtausch ist aber reine Kulanz des Händlers. Er ist weder dazu verpflichtet, die Ware zurückzunehmen, noch muss er den Kaufpreis zurückerstatten. Dies gilt grundsätzlich auch für den Onlinehandel.

Der Gesetzgeber hat für den Fernhandel allerdings ein Widerrufs- und Rückgaberecht eingeführt, was dazu führt, dass der Kunde bei Nichtgefallen die Ware innerhalb von zwei Wochen zurückgeben kann. Dabei hatte man im Auge, dass der Kunde die Ware im Onlineshop nicht so prüfen kann wie im Laden und daher die Möglichkeit haben muss, den Vertrag rückgängig zu machen. Dieses Recht greift aber nur, wenn es sich um einen gewerblichen Anbieter handelt und der Kunde privater Verbraucher ist. Bei einem Vertrag zwischen zwei Privatpersonen ist man immer an den Vertrag gebunden.

Theoretisch kann es zudem passieren, dass Ihnen in letzter Sekunde ein anderes eBay-Mitglied den Zuschlag vor der Nase wegschnappt. Hat jemand anderes den Artikel ebenfalls im Auge und ist auch nur eine Sekunde schneller mit der Bestätigung des Kaufes, bekommt er unter Umständen das letzte Exemplar und Sie gucken in die Röhre – dieser Fall dürfte allerdings nur sehr selten vorkommen.

Preis vorschlagen und Artikel günstiger bekommen

Es gibt bei eBay noch eine weitere Art des Verkaufs: Händler haben die Möglichkeit, Waren zwar zum Sofortkauf anzubieten, gleichzeitig

Suchen, finden und kaufen

aber über den Preis mit sich reden zu lassen. eBay nennt diese Methode *Sofort & Neu – oder Preis vorschlagen*. Die Sache funktioniert recht einfach: Sie rufen die Seite mit der Artikelbeschreibung der gewünschten Ware auf und klicken dort auf *Preis vorschlagen*. Danach geben Sie den Preis ein, den Sie für die Ware zu zahlen bereit sind. Aber Achtung: Verhandelbar ist nur der Preis der Ware, die Versandkosten bleiben stets gleich.

> Wollen Sie eine reelle Chance haben, dass der Händler Ihren Vorschlag akzeptiert, sollten Sie keine unrealistischen Preisvorschläge machen.

> In bestimmten Kategorien finden Sie häufig Angebote ausländischer Verkäufer – viele davon aus China oder Hongkong.

Wie es weitergeht, hängt nun vom Händler ab: Er hat maximal 48 Stunden Zeit, auf Ihren Vorschlag zu reagieren. Das kann er tun, indem er (im Idealfall) Ihren Vorschlag akzeptiert oder indem er diesen ablehnt und Ihnen einen Gegenvorschlag unterbreitet. So kann es einige Male hin- und hergehen, ehe man sich mit dem Händler auf einen Preis einigt. Beachten sollten Sie dabei, dass Ihr Preisvorschlag bindend ist – wird er vom Händler akzeptiert, ist ein gültiger Kaufvertrag zustande gekommen und Sie müssen die Ware bezahlen. Haben Sie einen Preisvorschlag gemacht, sollten Sie daher warten, bis der Händler darauf reagiert oder das Angebot ausläuft, wodurch auch Preisvorschläge ungültig werden.

Achtung: Keinesfalls vorher bei einem anderen Händler zuschlagen, sonst kann es passieren, dass Sie die gewünschte Ware gleich doppelt bekommen!

Artikel von ausländischen Anbietern kaufen

Wenn Sie das Angebot von eBay etwas gründlicher studieren, werden Sie schnell feststellen, dass auch viele ausländische Verkäufer hier ihre Waren anbieten. Vor allem aus China und Hongkong gibt es in-

Artikel von ausländischen Anbietern kaufen

zwischen viele Angebote, meist in den Bereichen Technik und Elektronik. Die Preise sind dabei oft verlockend und liegen weit unter dem, was ein deutscher Händler anbieten kann. Die große Frage: Lohnt es sich, bei solchen Angeboten zuzuschlagen?

Unter technischen Aspekten ist der Kauf bei ausländischen Anbietern überhaupt kein Problem: eBay behandelt das Angebot eines ausländischen Anbieters nicht anders als das eines deutschen Händlers. Allerdings sollten Sie einige Dinge beachten, bevor Sie tatsächlich bei einem ausländischen Händler zugreifen:

- Werfen Sie einen ganz genauen Blick auf das Bewertungsprofil, um sicherzugehen, dass Sie es mit einem seriösen und erfahrenen Händler zu tun haben.
- Besonders gut ist es, wenn der Händler häufiger deutsche Kunden beliefert. Er wird die Eigenheiten des deutschen Handels besser kennen.
- Achten Sie vor dem Kauf darauf, welche Zahlungsmöglichkeiten der Händler anbietet. Manche ausländischen Händler haben ein deutsches Konto, auf das Sie das Geld überweisen können, manche bieten nur Zahlmethoden wie Paypal an.
- Die Portokosten sind im Normalfall deutlich höher als bei deutschen Händlern – das sollten Sie in Ihre Kalkulation einbeziehen und sich nicht vom niedrigen Warenpreis blenden lassen.
- Auch die Lieferzeit wird in der Regel länger sein als bei einer Bestellung innerhalb Deutschlands: Für einen Versand aus China sollten Sie mit etwa drei Wochen rechnen.
- Wichtig ist in diesem Zusammenhang auch, welche Art von Versand der Händler standardmäßig anbietet. Die Lieferung per Luftfracht sollte Standard sein, erfolgt der Versand per Schiff, ist die Ware deutlich länger unterwegs.
- Machen Sie sich klar, dass Sie bei einem ausländischen Verkäufer nicht die gleichen Rechte haben wie in Deutschland: Rückgabe und Garantie können eingeschränkt oder gar komplett ausgeschlossen sein. Zudem dürfte es praktisch unmöglich sein, den Händler per Rechtsweg zu bestimmten Dingen zu verpflichten.
- Kaufen Sie außerhalb der Europäischen Union ein (zum Beispiel in China), werden Zollgebühren fällig – für die Anmeldung ist der Verkäufer zuständig. Das kann allerdings bedeuten, dass die Ware Sie nicht direkt erreicht, sondern Sie eine Mitteilung vom Zollamt erhalten, dass Sie das Paket dort abholen können und die Zollgebühr entrichten müssen. Unter dem Strich wird es damit für Sie ein gutes Stück teurer.

Suchen, finden und kaufen

Recht

Muss ich Käufe bei ausländischen Anbietern beim Zoll melden?

Innerhalb der Europäischen Union gilt der Grundsatz des freien Verkehrs von Waren, sodass man hier grundsätzlich alles versenden kann. Das heißt aber nicht, dass der Zoll da nicht manchmal ein Wörtchen mitredet: Jedes Kilo Röstkaffee wird in Deutschland zum Beispiel besteuert, in Holland nicht. Bei Bestellung im Internet und Lieferung von Holland nach Deutschland heißt es also nachzahlen! Der Fall zeigt, dass selbst im EU-Binnenmarkt das Einkaufen ungeahnte Tücken haben kann – nicht nur bei Kaffee. Ähnliche Verbrauchssteuern erhebt der Zoll auch auf Alkohol und Zigaretten.

Bei Lieferungen aus Norwegen, der Schweiz – die nicht Mitglied der EU sind – und aus Übersee kann es noch viel häufiger zu Problemen mit dem Zoll kommen. Da bleiben Pakete nur zollfrei, wenn ihr Wert unter 22 Euro liegt, egal ob vom Händler oder von Privatleuten gekauft. Kaffee, Tabak, Alkohol und Parfüm müssen aber auch unter 22 Euro Wert verzollt werden. Für private Geschenke liegt die zollfreie Grenze bei 45 Euro.

Für die Anmeldung der Waren beim Zoll ist grundsätzlich immer der Versender zuständig. Dieser muss den Inhalt der Sendung näher bezeichnen und auch den Wert der Waren angeben. Auf dieser Basis berechnet der Zoll dann die anfallenden Kosten, die sich aus den Zollkosten sowie 19 beziehungsweise 7 Prozent Umsatzsteuer zusammensetzen. Die Höhe des Zolls richtet sich nach dem Warentyp. Wie viel fällig wird, ist vorab schwer herauszubekommen. Oft kommt es sehr auf die technische Ausstattung des Geräts an. Bei Digitalkameras können es 0 oder auch 12,5 Prozent sein, Computer sind meist völlig zollfrei, bei CD-Spielern sind es 9,5 Prozent, bei DVD-Spielern 13,9 Prozent, bei Textilien oft 12 Prozent. Zollfrei ist auch Software, die nicht auf CD oder DVD die Grenze überschreitet, sondern aus dem Internet heruntergeladen wird. Wer es genau wissen will, sollte beim Zoll-Infocenter nachfragen: www.zoll.de.

Die Zollgebühren sind bei Abholung der Ware vom Empfänger beim Zollamt zu entrichten. Viele Versender kennzeichnen die Ware als „Geschenk" und hoffen darauf, dass die Sendung beim Zoll durchgeht. So kann es also sein, dass man seine Waren erhält, ohne jemals zum Zoll zu müssen. Streng genommen handelt es sich hierbei allerdings um Steuerhinterziehung.

Kapitel 3
So nehmen Sie an Auktionen teil

So nehmen Sie an Auktionen teil

Nervenkitzel inklusive:
So nehmen Sie an Auktionen teil

Artikel per Sofortkauf oder als *Sofort & Neu* zu erwerben, geht bei eBay recht schnell und unkompliziert. Allerdings unterscheidet sich eBay damit nicht wesentlich von den Tausenden von Onlineshops, die es im Internet inzwischen gibt. Was diesen Online-Marktplatz groß gemacht hat, ist dagegen die Möglichkeit, bei der Versteigerung von Waren mitzubieten. Sie können sich – sozusagen live – einen Bietwettkampf mit anderen eBay-Nutzern liefern und mit etwas Glück sogar das eine oder andere Schnäppchen machen.

So geben Sie ein Gebot ab

Die klassische Auktion, die eBay zu dem gemacht hat, was es heute ist, ist eine Art Wettlauf mit anderen eBay-Nutzern um den Zuschlag. Die Auktion endet zu einem festgelegten Zeitpunkt (der jeweils auf der Artikelseite angegeben ist). Wer zu diesem Zeitpunkt das meiste Geld für die Ware bietet, bekommt den Zuschlag.

Haben Sie den gewünschten Artikel ausfindig gemacht, ist es nicht schwer, ein Gebot für die Ware abzugeben.

Jetzt aber schnell: Ist eine Auktion ausgelaufen, gibt es keine Chance mehr mitzubieten.

Angebotsende: 26 Minuten 28 Sekunden (04.06.07 08:07:47 MESZ)

Achtung

Vor dem Bieten alles genau kontrollieren!

Die Rücknahme von Geboten bei eBay ist schwierig und wird in Ihrem Bewertungsprofil festgehalten. Es macht also keinen guten Eindruck, wenn Sie häufig Ihre Gebote zurückziehen.

Stattdessen sollten Sie vor dem Bieten noch einmal genau kontrollieren, ob auch alles stimmt. Ist es tatsächlich der Artikel, den Sie haben wollen? Ist der Zustand in Ordnung, oder steht irgendwo etwas über Defekte und Probleme?

Auch sollten Sie sich im Schnäppchenfieber etwas zu bremsen versuchen: Prüfen Sie, welche Nebenkosten mit dem Kauf auf Sie zukommen. Wie hoch sind die Versandgebühren? Gibt es den Artikel vielleicht woanders zum gleichen Preis oder gar günstiger? Am besten überlegen Sie sich von vornherein eine Höchstgrenze, ab der Sie nicht mehr mitbieten werden.

So geben Sie ein Gebot ab

So geht's:

Um ein Gebot abzugeben, gehen Sie wie folgt vor:

1. Rufen Sie die Seite mit der Artikelbeschreibung auf. Im unteren Bereich – im Abschnitt *Bieten* – finden Sie alles Nötige, um Ihr Gebot abzugeben. Dort stehen auch noch einmal der Titel der Auktion, das aktuelle Gebot und – ganz wichtig – das Mindestgebot.

2. In das Feld *Ihr Maximalgebot* geben Sie nun Ihr persönliches Gebot ein – den Betrag, den Sie für den Artikel maximal zu zahlen bereit sind. Das ist nicht unbedingt das, was Sie am Ende auch für den Artikel aufbringen müssen, falls Sie die Auktion gewinnen. Denn der Bietagent von eBay sorgt dafür, dass Sie nur so viel bieten, wie nötig ist, um andere Mitbieter zu übertrumpfen. Was genau der Bietagent leistet, erfahren Sie im Abschnitt *Das steckt hinter dem Bietagenten von eBay* (→ Seite 52).
3. Um das Gebot abzugeben, klicken Sie auf die Schaltfläche *Bieten*. Sollten Sie sich noch nicht eingeloggt haben, müssen Sie dies nun nachholen und Ihren eBay-Namen und das Passwort eingeben. Ein letzter Mausklick auf *Bestätigen* – und Sie haben Ihr Gebot endgültig platziert.

Was nun passiert, hängt davon ab, was die Konkurrenz macht – sprich, wie sich andere Bieter verhalten. Bekommen Sie eine Meldung angezeigt, dass Sie momentan der Höchstbietende der Auktion sind, ist erst einmal alles in Ordnung. Würde die Auktion in dieser Sekunde beendet, erhielten Sie den Zuschlag.

Tipp

Krumme Beträge sind oft erfolgreicher.

Es macht Sinn, als Maximalgebot einen krummen Betrag einzugeben, zum Beispiel 12,06 statt 12 Euro. Viele Bieter geben lediglich glatte Beträge ein, sodass diese wenigen Cents Unterschied darüber entscheiden, ob Sie Höchstbietender werden oder nicht.

Geschafft: Sie sind erst einmal Höchstbietender – bis zum Ende der Auktion kann Sie allerdings noch jemand anders überbieten.

So nehmen Sie an Auktionen teil

Bekommen Sie dagegen eine Meldung, dass Sie von einem anderen eBay-Mitglied überboten wurden, bedeutet das, dass Ihr Maximalgebot nicht ausreichend war. Ein anderes Mitglied hat ein höheres Maximalgebot abgegeben, der Bietagent hat dieses platziert.

Was ebenfalls passieren kann: eBay meldet, dass Ihr Gebot unterhalb des Mindestgebots liegt und daher nicht angenommen werden kann. Das bedeutet: Unmittelbar vor Ihnen hat bereits jemand anders ein Gebot abgegeben. Ihr Betrag reicht nun nicht mehr aus; Sie müssen mehr bieten, um die Auktion zu gewinnen.

Info

Sonderfall Power-Auktion

Inzwischen recht selten findet sich bei eBay die sogenannte Power- oder Multi-Auktion. Dabei werden mehrere identische Artikel versteigert. Als Bieter müssen Sie angeben, wie viele dieser Artikel Sie zu welchem maximalen Einzelpreis kaufen möchten. Mit diesem Gebot nehmen Sie an der Auktion teil. Etwas komplizierter wird die Sache dann mit Ablauf der Auktion: Alle Höchstbietenden zahlen denselben Preis, nämlich den des niedrigsten erfolgreichen Gebots.

Das steckt hinter dem Bietagenten von eBay

Zwischen Auktionen bei eBay und solchen bei traditionellen Auktionshäusern gibt es einige bedeutende Unterschiede: Der Auktionator bei einer traditionellen Auktion nimmt so lange Gebote an, bis niemand mehr bereit ist, mehr zu bieten. Erst dann fällt der Hammer („Zum Ersten, zum Zweiten, zum Dritten"). Auktionen bei eBay dagegen enden automatisch nach Ablauf einer festgelegten Zeitspanne – egal wie viele Gebote bis dahin eingegangen sind und ob es vielleicht noch Interessenten gibt, die mitbieten möchten.

Recht

eBays Auktionen sind rechtlich gesehen gar keine.

Die besondere Form des Verkaufs bei eBay führt dazu, dass es sich rechtlich gesehen gar nicht um eine Auktion, sondern um einen normalen Kauf handelt. Der Verkäufer muss sich bereits beim Einstellen der Ware darüber im Klaren sein, dass er keinen Einfluss mehr darauf hat, zu welchem Preis er die Ware an den Käufer abzugeben hat.

Für den Käufer bedeutet das wiederum, dass er sich bei Abgabe des Gebots darüber bewusst sein muss, dass der Gebotsbetrag auch zu zahlen ist und ihm, zumindest grundsätzlich, keine Möglichkeit bleibt, sich den Kauf als solchen noch einmal zu überlegen.

Der zweite, mindestens ebenso wichtige Unterschied: Der Betrag, den Sie als Höchstgebot angeben, ist nicht automatisch das, was Sie am Ende für den Artikel bezahlen müssen. Heben Sie bei einer traditionellen Auktion die Hand und rufen „1 000 Euro", dann ist das Ihr aktuelles Gebot. Bietet niemand mehr, müssen Sie diese 1 000 Euro auch bezahlen. eBay dagegen ist sozusagen Ihr Verbündeter beim Bieten. Sie geben an, wie viel Sie maximal zu zahlen bereit sind. Dieses Höchstgebot bleibt für andere Mitbieter und auch für den Verkäufer verborgen: Der Bietagent bietet immer nur so viel, dass Sie anderen gegenüber die Nase vorn haben – so lange, bis Ihr Höchstgebot nicht mehr ausreicht, um andere Gebote zu überbieten.

Gebote zurücknehmen

Das kann passieren: Sie bieten für einen Artikel, sehen aber kurz danach, dass es die falsche Ware ist, auf die Sie geboten haben. Jetzt gibt es zwei Möglichkeiten: entweder abwarten, Tee trinken und hoffen, dass Sie noch von jemand anderem überboten werden – oder das Gebot zurückziehen. Das geht allerdings nur unter bestimmten Umständen und wird in Ihrem Bewertungsprofil registriert.

Nur unter folgenden Umständen ist eine Rücknahme eines Gebots bei eBay zulässig:

- Sie haben versehentlich einen falschen Gebotsbetrag angegeben (zum Beispiel 1 000 Euro statt 10,00 Euro).
- Die Beschreibung des Artikels hat sich wesentlich verändert. Verkäufer können zu laufenden Auktionen Ergänzungen machen – steht dort plötzlich: „Was ich noch vergessen habe: Das Gerät ist defekt", dann ist das sicherlich eine solche wesentliche Veränderung.
- Es war nicht möglich, mit dem Verkäufer Kontakt aufzunehmen.

Nicht zurücknehmen dürfen Sie ein Gebot aus folgenden Gründen:

- Sie sind der Meinung, dass Sie den Artikel jetzt doch nicht wollen.
- Sie können sich die Ware nicht leisten.
- Sie haben sich vom Schnäppchenfieber packen lassen und mehr geboten, als Sie ursprünglich wollten.

Zudem gilt: Wenn die Auktion innerhalb der nächsten zwölf Stunden endet, können Sie Ihr Gebot nur innerhalb einer Stunde nach Abgabe

So nehmen Sie an Auktionen teil

zurückziehen. Um ein Gebot zurückzunehmen, müssen Sie zudem etwas im eBay-System blättern – auch das macht die Sache nicht gerade leichter.

Recht

Was ist, wenn ich eine Auktion gewinne, die Ware aber nicht mehr will?

Eine Internetauktion bei eBay stellt sich als Kaufvertrag dar und nicht als Auktion im Rechtssinne. Es handelt sich um einen normalen Kaufvertrag, lediglich mit einer Zeitablauf- und Höchstgebotkomponente. Dennoch spricht man gern bei dem Verkäufer vom Versteigerer und beim Käufer vom Ersteigernden. Der Verkäufer muss sich bereits beim Einstellen der Ware darüber im Klaren sein, dass er keinen Einfluss mehr darauf hat, zu welchem Preis er die Ware an den Käufer abzugeben hat. Für diesen bedeutet es wiederum, dass er sich bei Abgabe des Gebots darüber bewusst sein muss, dass der Gebotsbetrag auch zu zahlen ist und ihm, zumindest grundsätzlich, keine Möglichkeit bleibt, sich den Kauf als solchen noch einmal zu überlegen.

Wenn Sie jedoch als Privatperson bei einem gewerblichen Anbieter (Profihändler) etwas ersteigert haben, steht Ihnen ein Widerrufs- und Rückgaberecht zu, mit dem Sie sich wieder vom Vertrag lösen können. Dieses Widerrufsrecht besteht bereits unmittelbar nach dem Gewinn der Auktion, sodass Sie nicht darauf warten müssen, bis Ihnen die Ware zugeschickt wird. Ihre Willenserklärung können Sie auch schon unmittelbar nach Vertragsschluss widerrufen, dies sollten Sie dann aber nachweisbar tun (zum Beispiel per Einschreibebrief) oder sich durch den Verkäufer den Widerruf schriftlich bestätigen lassen. Was bleibt, ist die Gefahr, vom Verkäufer eine Negativbewertung zu bekommen.

eBay macht es Ihnen nicht leicht, ein Gebot zurückzunehmen. Das Formular ist tief im System versteckt.

So geht's:

Um ein abgegebenes Gebot zurückzuziehen, gehen Sie wie folgt vor:

1. Laden Sie die Startseite von eBay und rufen Sie den Bereich *Mein eBay* auf.
2. Im Bereich *Artikel kaufen | Bieten* finden Sie alle Auktionen, für die Sie ein Gebot abgegeben haben und bei denen Sie derzeit führend sind. Hier ist auch der Artikel aufgelistet, für den Sie das Gebot wieder zurücknehmen möchten. Klicken Sie auf die Beschreibung des Artikels, um die Artikelseite aufzurufen.
3. Für die Gebotsrücknahme benötigen Sie die Artikelnummer der Auktion – Sie finden diese oben rechts auf der Artikelseite. Am besten notieren Sie sich diese Nummer.
4. Im oberen Bereich der Artikelseite finden Sie zudem eine Zeile mit dem Text *Übersicht: x Gebote*. Klicken Sie auf *Gebote*.
5. Sie bekommen nun eine Liste mit allen bisher abgegebenen Geboten angezeigt – Ihres steht in dieser Liste ganz oben. Am unteren Ende der Liste finden Sie den Text *Sie können Gebote nur unter bestimmten Umständen zurücknehmen*. Klicken Sie auf *zurücknehmen*.
6. Es öffnet sich eine neue Seite. Hier finden Sie die genauen Bedingungen, unter denen es erlaubt ist, ein Gebot zurückzunehmen. Im unteren Bereich der Seite finden Sie den Text *Um ein Gebot zurückzunehmen, verwenden Sie bitte das Formular zur Gebotsrücknahme*. Klicken Sie hier auf *Gebotsrücknahme*.
7. Jetzt schließlich öffnet sich die Seite, über die das Gebot zurückgenommen wird. Sie müssen hier die Artikelnummer der betreffenden Auktion eintragen und aus der Liste einen Grund auswählen, warum Sie das Gebot zurückziehen. Nachdem Sie auf die Schaltfläche *Gebot zurücknehmen* geklickt haben, wird Ihr Gebot gestrichen; Sie nehmen nicht länger an der Auktion teil.

So gewinnen Sie (fast) alle Auktionen

Um richtig ins Schnäppchenfieber zu geraten, können Sie das Bieten zu einem spannenden „Last-Minute-Wettkampf" machen. Motto: Wer bietet zuletzt? Zudem können Sie mit dieser Methode bei recht vielen Auktionen zum Erfolg kommen. Der Trick: Geben Sie Ihr Gebot erst zielgenau in letzter Sekunde ab. Was Sie dazu brauchen: etwas Zeit, gute Nerven, eine stabile Internetverbindung und eine Stoppuhr.

So nehmen Sie an Auktionen teil

Schritt 1: Wie viel Zeit habe ich noch?

Als Erstes müssen Sie sich genau erkundigen, wie viel Zeit Ihnen noch zum Bieten bleibt. Am besten ist es, Sie nehmen den gewünschten Artikel in Ihre Merkliste auf, um ihn schnell im Blick zu haben.

Ganz wichtig: Immer die Restzeit im Auge behalten.

Die heiße Phase des Bietens beginnt etwa zehn Minuten vor Ablauf der Auktion. Sie sollten jetzt eine Verbindung zum Internet herstellen und die Artikelseite aufrufen. Nun geht es darum, Ihre Stoppuhr einigermaßen mit dem Auktionscountdown zu synchronisieren. Im oberen Bereich der Auktionsseite finden Sie ein Feld *Angebotsende*.

Durch Anklicken der Schaltfläche *Aktualisieren* (in der Symbolleiste des Internetbrowsers) rufen Sie die Seite jedes Mal wieder neu auf. Die Zeitangabe wird dabei aktualisiert. Angezeigt wird die Restzeit zum Zeitpunkt, an dem Sie die Schaltfläche *Aktualisieren* angeklickt haben.

Sobald hier eine einigermaßen „gerade Zeit" angezeigt wird (zum Beispiel 3 Minuten, 0 Sekunden oder 2 Minuten, 30 Sekunden), starten Sie die Stoppuhr. Jetzt machen Sie den umgekehrten Test: Zeigt die Stoppuhr eine „gerade" Zeit an (zum Beispiel exakt eine Minute), klicken Sie auf die Schaltfläche *Aktualisieren*. Danach wissen Sie ungefähr, wie stark die Abweichung zwischen den beiden Uhren ist und wann Sie bieten müssen, um Ihr Gebot unmittelbar vor dem Ende der Auktion abzugeben.

Schritt 2: Bieten vorbereiten

Als Nächstes sollten Sie die Seite zum Bieten vorbereiten. Öffnen Sie dazu eine Kopie der aktuell angezeigten Seite, indem Sie die Tastenkombination [Strg]+[N] drücken. Falls die Seite mit der Artikelbeschreibung nicht bereits angezeigt wird, laden Sie diese (zum Beispiel über *Mein eBay*) und tragen im Feld *Ihr Maximalgebot* den Betrag ein, den Sie als Gebot abgeben wollen.

So gewinnen Sie (fast) alle Auktionen

Geben Sie auf einer zweiten Internetseite Ihr Maximalgebot ein – geboten wird später.

Anschließend klicken Sie auf *Bieten*. Zu diesem Zeitpunkt haben Sie Ihr Gebot noch nicht abgegeben – Sie sind allerdings nur noch einen Mausklick davon entfernt.

Achtung

Vorsicht vor dem Schnäppchenfieber!

An den letzten Sekunden einer Auktion live teilzunehmen, ist besonders spannend. Bei vielen bricht in diesem Moment das Schnäppchenfieber aus. Sie sollten allerdings aufpassen: Nicht dass der Kauf am Ende gar kein Schnäppchen wird! Am besten vorher ausgiebig informieren, was die gleiche Ware im Handel kostet oder ob es Alternativangebote gibt. Dann eine Höchstgrenze festlegen und diese nicht überschreiten. Zahlt ein Konkurrent mehr und schnappt Ihnen den Artikel weg, hat er eben kein Schnäppchen gemacht.

Schritt 3: Jetzt kommt es drauf an

Sie haben nun zwei Fenster des Internetbrowsers geöffnet: Auf der ersten Seite finden Sie die Artikelbeschreibung mit der Anzeige der Restzeit und dem aktuellen Höchstgebot. Auf der zweiten Seite ist Ihr Gebot bereits vorbereitet; es fehlt lediglich der Mausklick auf die Schaltfläche *Gebot bestätigen*.

Um zwischen diesen beiden Fenstern umzuschalten, benutzen Sie die Tastenkombination `Alt`+`Tab`. Behalten Sie nun die Stoppuhr sowie die Seite mit der Artikelbeschreibung genau im Blick. Sie können dazu immer wieder die Schaltfläche *Aktualisieren* anklicken, um die aktuellen Daten zu laden.

Kurz vor Ende der Auktion (je nachdem, wie gut Ihre Nerven sind, zwischen 40 und 3 Sekunden) wechseln Sie mit `Alt`+`Tab` auf die Seite mit dem vorbereiteten Gebot und klicken sofort auf *Gebot bestätigen*.

So nehmen Sie an Auktionen teil

Ein Mausklick noch, dann zeigt sich, ob das Gebot ausreicht, um Höchstbietender zu werden.

Sollten Sie kurz vor Ablauf der Auktion sehen, dass Ihr Gebot nicht ausreichen wird, um die Auktion zu gewinnen, wechseln Sie auf die Seite mit dem vorbereiteten Gebot, klicken in der Symbolleiste des Internetbrowsers auf die Schaltfläche *Zurück* und geben einen neuen, höheren Betrag ein. Denken Sie aber daran, dass Sie dafür etwa 15 bis 20 Sekunden benötigen werden.

Schritt 4: Abwarten und Daumen drücken

Haben Sie Ihr Gebot abgegeben, können Sie nur hoffen, dass kein anderer Bieter bereits ein höheres Gebot platziert hat und Sie so direkt aus dem Rennen wirft. Sie bekommen in diesem Fall die Meldung *Sie wurden von einem anderen Bieter überboten*. Zugleich können Sie direkt auf dieser Seite ein neues Gebot eingeben. Da heißt es dann: schnell überlegen, ob Ihnen der Artikel das Geld wert ist, und gegebenenfalls ebenso schnell handeln. Je später Sie Ihr Gebot abgegeben haben, desto schlechter stehen natürlich die Chancen, dass Sie noch nachbieten können.

Info

Schnäppchenfieber, aber keine Sicherheit

Mit der beschriebenen Stoppuhrmethode lassen sich Auktionen mit einiger Sicherheit gewinnen. Der Grund: Die meisten Interessenten bieten nur so viel, dass sie gerade eben Höchstbietende sind. Kommen Sie nun im letzten Moment mit einem etwas höheren Gebot daher, erhalten Sie den Zuschlag. Und da Sie Ihr Gebot tatsächlich erst in letzter Sekunde abgeben, nehmen Sie anderen Bietern die Möglichkeit, noch einmal nachzulegen.

Eine hundertprozentige Sicherheit, die Auktion zu gewinnen, gibt Ihnen allerdings auch diese Methode nicht. Schließlich haben Sie in der Regel nur einen Versuch, Ihr Gebot zu platzieren. Ist dieses nicht hoch genug, bleibt meist keine Zeit, noch einmal nachzulegen.

Ist Ihr Gebot angenommen worden und Sie sind der momentan Höchstbietende, dann müssen Sie abwarten und darauf hoffen, dass nicht noch jemand anders mehr bietet. Wechseln Sie auf die Seite der Artikelbeschreibung und klicken Sie auf die Schaltfläche *Aktualisieren*. Sie sollten als Höchstbietender auftauchen – und nach Abschluss der Auktion als Käufer.

Elektronische Hilfe: Sniper-Programme

„Sniper", das ist Englisch und heißt „Scharfschütze". Sniper-Programme erfreuen sich in letzter Zeit enormer Beliebtheit. Sie heißen Biet-O-Matic, Auction Sentry oder Last-Minute-Gebot – es gibt inzwischen eine ganze Reihe.

Dass die Programme so beliebt sind, kommt nicht von ungefähr, denn sie machen automatisch und praktisch ohne Aufwand das, was im vorigen Kapitel beschrieben wurde: Sie geben zielgenau – wenige Sekunden vor Ablauf einer Auktion – ein Gebot ab, und das ganz ohne Ihr Zutun, also auch, während Sie schlafen oder arbeiten. Ihr Rechner muss allerdings dabei aktiv bleiben und sich ins Internet einwählen können.

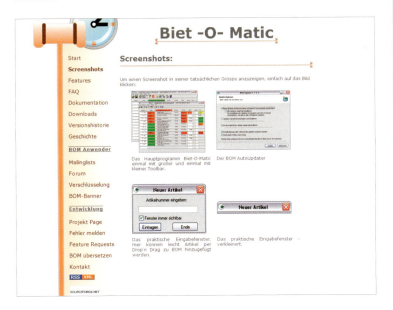

Viele der Sniper-Programme – hier die Homepage von Biet-O-Matic – sind sogar kostenlos im Internet erhältlich.

Vom Prinzip her funktionieren alle Programme gleich: Geben Sie die zu beobachtenden Artikel ein (die meisten Programme können sogar die Liste Ihrer beobachteten Artikel aus dem Bereich *Mein eBay* im-

So nehmen Sie an Auktionen teil

portieren), dazu Ihr Höchstgebot, und lassen Sie dann das Programm für sich arbeiten. Kurz vor Ende der Auktion (der Zeitpunkt ist in der Regel frei wählbar) stellt das Programm eine Verbindung zum Internet her und gibt Ihr Gebot ab. Bei manchen Programmen können Sie dazu noch Gruppen bilden: Merken Sie sich mehrere gleichartige Artikel, teilen Sie diese in eine Gruppe ein. Ist einer der Artikel aus einer Gruppe ersteigert, streicht das Programm die restlichen von seiner Merkliste und sorgt so dafür, dass Sie zum Beispiel nur ein Handy ersteigern – und nicht gleich zehn.

Achtung

Nicht jedem trauen!

Neben den Sniper-Programmen gibt es auch Internetseiten, die eine automatische Abgabe von Geboten versprechen. Der Vorteil: Ihr PC zu Hause kann ruhig ausgeschaltet sein, das Gebot gibt ein zentraler Server ab. Klingt gut, dennoch sollten Sie besser die Finger von solchen Angeboten lassen. Sie müssen nämlich den Anbietern Ihre kompletten eBay-Daten (Name und Passwort) zur Verfügung stellen. Ob Sie dem Anbieter vertrauen können, wissen Sie nur selten; die Gefahr eines Missbrauchs ist recht groß.

Sniper-Programme haben im Wesentlichen nur einen Nachteil: eBay Deutschland erlaubt deren Einsatz nicht. In den Allgemeinen Geschäftsbedingungen (die Sie mit Ihrer Anmeldung beziehungsweise der Nutzung der eBay-Seite anerkennen) heißt es dazu nur lapidar: „Die Abgabe von Geboten mittels automatisierter Datenverarbeitungsprozesse (zum Beispiel so genannten ‚Sniper'-Programmen) ist verboten."

Sehr praktisch: Sniper-Programme können Gebote kurz vor Ende der Auktion vollautomatisch abgeben.

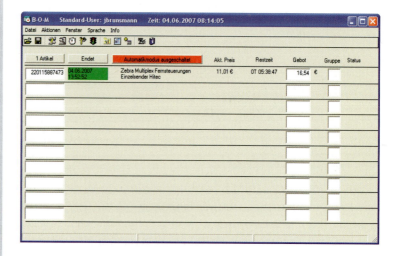

Wirklich verhindern kann eBay den Einsatz der Sniper-Programme allerdings nicht; schließlich verhalten diese sich genau so, als hätten Sie das Gebot von Hand eingegeben – nur dass der Computer viel kaltblütiger und zielgenauer arbeiten kann.

Was eBay machen kann, ist, die Internetseiten von Zeit zu Zeit zu ändern, sodass alle älteren Sniper-Programme nicht mehr richtig funktionieren. Die Sniper-Programme ihrerseits arbeiten häufig nicht über die Deutschland-Seite von eBay, sondern platzieren ihr Gebot über die Seite www.ebay.com. Die Auktionsnummern zur deutschen Seite sind identisch, da eBay weltweit die gleiche Datenbank benutzt – nur dass auf www.ebay.com Sniper-Programme nicht ausdrücklich verboten sind. So gesehen arbeitet das Programm sogar vollkommen legal.

Darüber hinaus sind auch die Sniper-Programme keine Wunderprogramme. Schließlich – das ist ja der Grundsatz bei einer Auktion – gewinnt am Ende nicht derjenige, der das letzte Gebot abgibt, sondern derjenige, der am meisten bietet.

Ohne PC bei Internetauktionen mitbieten

eBay bietet Ihnen die Möglichkeit, auch ohne Computer an Auktionen teilzunehmen. Alles, was Sie dazu benötigen, ist ein Handy, notfalls reicht sogar ein normales Telefon. So können Sie per WAP-Handy mitbieten oder per SMS aktuelle Angebote einholen und mitbieten. Falls Sie eines der neuen, fortschrittlichen Handys haben, können Sie auf Ihrem Gerät auch einen Browser installieren, der speziell für den Zugriff auf die eBay-Seiten optimiert wurde – eBay stellt Ihnen das Programm kostenlos zur Verfügung. In Kooperation mit einem anderen Unternehmen bietet eBay sogar die Möglichkeit, per Telefon an Auktionen teilzunehmen.

eBay hat eine eigene Seite eingerichtet, auf der Sie sich über all diese Möglichkeiten ausführlich informieren können. Sie finden diese Seite unter der Adresse unterwegs.ebay.de. Nur um per Telefon mitzubieten, müssen Sie eine andere Adresse aufrufen: Informationen dazu finden Sie unter www.telefonbieten.de.

Der Haken an der Sache: Das Mitbieten per SMS und Telefon ist kostenpflichtig. Pro SMS, die eBay Ihnen schickt, sind 19 Cent fällig, das Bieten per Telefon kostet sogar 59 Cent pro Minute. Die Benutzung des WAP-Services von eBay und des speziellen Handy-Browsers sind kostenfrei, allerdings wird Ihnen je nach Mobilfunkvertrag Ihr Handy-Provider Gebühren in Rechnung stellen. Aufgrund dieser Ko-

So nehmen Sie an Auktionen teil

sten sollten Sie überlegen, ob es sich lohnt, die Zusatzdienste in Anspruch zu nehmen. Eine Alternative wäre die Nutzung eines Sniper-Programms.

eBay bietet eine Reihe von Möglichkeiten, auch ohne PC bei Auktionen mitzubieten.

Nix verpassen – eBay für unterwegs

Übersicht
- Willkommen
- WAP-Portal
- SMS-Service
- Opera Mini eBay Edition

Hilfreiche Links
- Java-Applikationen für Ihr Handy
- Handy & Organizer

Willkommen

Haben Sie mal wieder ein Angebotsende verpasst, weil Sie unterwegs waren?

Möchten Sie zukünftig auch an der Bushaltestelle oder am Baggersee über den aktuellen Stand von Auktionen informiert werden und mitbieten?

Bei eBay gar kein Problem! Mit "eBay für unterwegs" können Sie zahlreiche Funktionen über Ihr Handy nutzen.

■ Funktionen

- **WAP-Portal**
  Suchen, finden und bieten Sie mit Ihrem WAP-Handy. Über **wap.ebay.de** können Sie sogar auf Mein eBay zugreifen, die Kategorien durchstöbern und Gebote abgeben.
- **SMS-Service**
  Lassen Sie sich per SMS über den aktuellen Stand eines eBay-Angebotes informieren und **bieten Sie direkt per SMS mit**.
- **Opera Mini eBay Edition**
  Surfen Sie mit diesem speziellen Handy-Browser durch das gesamte Internet.

Kapitel 4
So kommt die Ware zu Ihnen

So kommt die Ware zu Ihnen

Nach dem Kauf:
So kommt die Ware zu Ihnen

Die Auktion ist gewonnen oder der Artikel per *Sofort Kaufen* erworben. Jetzt folgt der nächste Schritt: Wie kommt die Ware schnellstmöglich zu Ihnen? Bei eBay ist es üblich, im Voraus zu bezahlen; allenfalls eine Lieferung per Nachahme – das heißt, Sie zahlen den Gesamtbetrag bei der Übergabe der Ware an den Postboten – wird von vielen Verkäufern noch als Alternative angeboten. Üblicherweise aber teilt Ihnen der Verkäufer seine Kontodaten mit und wartet mit dem Versand der Ware, bis das Geld seinem Konto gutgeschrieben wurde. Um die einzelnen Schritte dieser Abwicklung zu kontrollieren, können Sie eBay oder – falls vom Verkäufer eingesetzt – ein anderes Kaufabwicklungssystem in Anspruch nehmen.

Die Kaufabwicklung von eBay nutzen

In den Anfangszeiten von eBay war es den Käufern und Verkäufern überlassen, sich nach einer Auktion zu verständigen. Meist wurde dann eine Reihe von E-Mails hin- und hergeschickt: Kontoverbindung, Adresse, Gesamtbetrag – Käufer und Verkäufer müssen schließlich einiges untereinander regeln. Dieses lästige Hin- und Herschicken können Sie sich heute meist sparen. Denn die meisten Verkäufer greifen auf ein Kaufabwicklungssystem zurück, das die einzelnen Schritte protokolliert und den Geschäftspartnern die jeweiligen Informationen liefert. Gab es bis vor einigen Jahren nur externe Dienstleister wie Afterbuy, die eine solche Kaufabwicklung anboten, so hat eBay diese Leistung inzwischen in sein System integriert.

Als Käufer können Sie über den Bereich *Mein eBay* beispielsweise die Kontodaten des Verkäufers einsehen, den Gesamtbetrag errechnen und nachschauen, ob der Verkäufer das Geld für die Ware schon erhalten hat.

So geht's:

Um die Kaufabwicklung von eBay zu nutzen, gehen Sie wie folgt vor:

1. Direkt nach dem Kauf erhalten Sie von eBay eine E-Mail. Dort finden Sie auch einen Link *Jetzt bezahlen*. Klicken Sie diesen an, um automatisch zur Kaufabwicklung zu gelangen.

Artikel bezahlen und Lieferung einleiten

Jetzt bezahlen

Klicken Sie auf "Jetzt bezahlen", um den Versand, den Gesamtbetrag und die Zahlungsmethode zu bestätigen.

Die Kaufabwicklung von eBay nutzen

2. Auf der nun angezeigten Seite können Sie alle wichtigen Details zum Kauf klären. Je nachdem, welche Optionen der Verkäufer anbietet, können Sie sich hier für versicherten oder unversicherten Versand entscheiden und auch die Lieferadresse noch korrigieren. Zudem haben Sie die Möglichkeit, eine Nachricht an den Verkäufer zu senden.

3. Auch die Kontodaten des Verkäufers (falls dieser die Daten bei eBay hinterlegt hat) bekommen Sie nun mitgeteilt – Sie sollten sich diese notieren oder ausdrucken, um sie für die Überweisung parat zu haben.

Praktisch: In der Kaufabwicklung von eBay sehen Sie alle wichtigen Daten auf einen Blick – inklusive der Kontoverbindung des Verkäufers.

4. Sollten Sie keine E-Mail für die Kaufabwicklung erhalten haben, rufen Sie alternativ den Bereich *Mein eBay* auf. Unter *Artikel kaufen* im Bereich *Gekauft* finden Sie den Artikel, den Sie gerade erworben haben. In dieser Zeile findet sich auch eine Schaltfläche *Bezahlung und Versand*, die Sie anklicken. Sie gelangen so ebenfalls zur Kaufabwicklung.

> **Achtung**
>
> **Kaufabwicklung nicht doppelt ausfüllen**
>
> Nach dem Kauf bekommen Sie vollautomatisch eine E-Mail von eBay und können die Kaufabwicklung dort in die Wege leiten. Das sollten Sie allerdings nur dann machen, wenn der Verkäufer kein anderes Kaufabwicklungssystem nutzt – eine doppelte Kaufabwicklung kann ansonsten Verwirrung stiften. In der Auktionsbeschreibung sollten Sie einen Hinweis finden, falls der Verkäufer ein eigenes System (zum Beispiel Afterbuy) nutzt.

Über den Bereich *Mein eBay* können Sie nun die weiteren Schritte der Kaufabwicklung verfolgen: Nachdem Sie den fälligen Betrag an den Verkäufer überwiesen haben, wählen Sie aus dem Listenfeld in der Zeile des gekauften Artikels den Eintrag *Als bezahlt markieren*.

So kommt die Ware zu Ihnen

Sobald das Geld dem Konto des Verkäufers gutgeschrieben wurde, kann dieser den Artikel seinerseits als bezahlt markieren. Danach hat er die Möglichkeit, die Ware als verschickt zu kennzeichnen. Damit ist die Kaufabwicklung von eBay allerdings noch nicht beendet: Im Bereich *Mein eBay* können Sie zudem sehen, ob Sie für die jeweilige Transaktion bereits eine Bewertung abgegeben haben und ob und wie Sie vom Verkäufer bewertet wurden.

Andere Kaufabwicklungssysteme

Die Kaufabwicklung von eBay wird inzwischen von der Mehrheit der Verkäufer eingesetzt, doch es gibt auch andere Systeme. Vor allem auf die Kaufabwicklung von Afterbuy werden Sie öfters stoßen. Das Unternehmen ist einer der Pioniere in diesem Bereich und hat seine Dienste schon angeboten, als es von eBay selbst nur eine sehr unvollständige Kaufabwicklung gab. Zudem ist das System vor allem für Profiverkäufer interessant: Reaktionen von Käufern und Überweisungen können automatisch erfasst und ausgewertet werden; der Verkäufer bekommt automatisch von der Software mitgeteilt, wann er welche Ware wohin schicken muss.

> **Tipp**
>
> **Bei der Überweisung genau aufpassen**
>
> Bei der Überweisung sollten Sie vor allem den Verwendungszweck möglichst genau angeben: Vorteilhaft ist es, wenn Sie dort Ihren eBay-Namen, die Bezeichnung des gekauften Artikels und möglichst auch die Artikelnummer nennen. Macht der Verkäufer Ihnen Vorgaben für den Verwendungszweck, sollten Sie sich genau daran halten und diesen Text übernehmen – sonst kann der Versand deutlich länger dauern.

Viele Profihändler nutzen auch alternative Kaufabwicklungssysteme wie Afterbuy.

Die Kaufabwicklung von Afterbuy und Co. funktioniert ganz ähnlich wie das System von eBay: Direkt nach dem Kauf erhalten Sie vom Verkäufer eine E-Mail. Darin befindet sich ein Link auf eine Internetseite, auf der Sie die Angaben zum Kauf vervollständigen können. Vor allem die Lieferadresse sollten Sie noch einmal überprüfen – diese wird von Afterbuy automatisch aus dem eBay-System übernommen. Zudem erfahren Sie die Kontodaten des Verkäufers, die Höhe des Gesamtbetrags und welchen Verwendungszweck Sie bei der Überweisung angeben sollten. Daran sollten Sie sich auch halten, ansonsten kann die Afterbuy-Software die Überweisung nicht richtig zuordnen, und der Händler muss dies von Hand erledigen – der Versand der Ware verzögert sich dadurch in der Regel ganz erheblich.

Zusätzliche Artikel per Afterbuy und Co. kaufen

Die Afterbuy-Software liefert eine Option, die eBay nicht anbietet: Bei der Kaufabwicklung per Afterbuy und Co. haben Sie bei manchen Händlern die Möglichkeit, zusätzliche Artikel mitzubestellen. Das kann zum Beispiel passendes Zubehör sein, aber auch ganz andere Artikel, die der Händler ebenfalls im Programm hat, sind auf diesem Wege mitbestellbar.

Direkten Kontakt mit dem Verkäufer aufnehmen

Sie müssen nicht zwangsläufig die Kaufabwicklung von eBay benutzen – auch wenn es der wohl bequemste Weg ist. Die Alternative: Wenden Sie sich direkt an den Verkäufer und nehmen Sie Kontakt mit ihm auf.

> **Info**
>
> **Bei Profiverkäufern nur die Kaufabwicklung nutzen**
>
> Sollte der Verkäufer eine eigene Kaufabwicklung einsetzen (zum Beispiel Afterbuy), dann bleibt Ihnen praktisch keine andere Möglichkeit, als diese zu nutzen. In der Regel wird sich der Verkäufer weigern, per E-Mail mit Ihnen zu kommunizieren. Bei Profihändlern mit täglich Dutzenden von Kunden wäre der Aufwand einfach zu hoch.

Kurze Zeit nach dem Gewinn der Auktion finden Sie eine E-Mail von eBay in Ihrem elektronischen Briefkasten. Absender ist die Adresse *auktionsende@ebay.de*. Mit dieser Mail bekommen Sie die Bestätigung, dass Sie tatsächlich Käufer des gewünschten Artikels sind.

So kommt die Ware zu Ihnen

Die E-Mail von eBay enthält alle wichtigen Daten zum Kauf. Darunter – wenn auch leicht versteckt – auch die Mail-Adresse des Verkäufers.

Zudem sind in der E-Mail alle wichtigen Details zu Ihrem Kauf festgehalten: der Preis, den Sie zahlen müssen, die gekaufte Menge und – soweit der Verkäufer diese Angaben gemacht hat – die Höhe der Verpackungs- und Versandkosten. In dieser E-Mail finden Sie auch die Postadresse des Verkäufers sowie seine E-Mail-Adresse. Wer mit wem in Kontakt tritt, das ist bei eBay nicht klar geregelt, es heißt lediglich, Verkäufer und Käufer sollten sich innerhalb von drei Werktagen miteinander in Verbindung setzen. Anhand der E-Mail von eBay können Sie dies nun tun.

So geht's:

Um direkt mit dem Verkäufer in Kontakt zu treten, gehen Sie wie folgt vor:

1. Suchen Sie aus der E-Mail von eBay die E-Mail-Adresse des Verkäufers heraus (sie steht in der Regel im Abschnitt unter seiner Postadresse) und markieren Sie diese mit der Maus. Drücken Sie dann die Tastenkombination [Strg]+[C]. Dadurch kopieren Sie die Adresse in die Zwischenablage. Achten Sie dabei darauf, dass Sie keine Zeichen links oder rechts von der Adresse mitmarkieren.
2. Klicken Sie nun in Ihrem E-Mail-Programm auf die Schaltfläche *Antworten*. Es öffnet sich ein neues Fenster. Ganz wichtig: Die Antwortadresse ist jetzt noch falsch eingetragen. Denn schließlich kommt die Mail von eBay direkt; Sie wollen sich aber an den Verkäufer wenden. Gehen Sie daher auf das Feld *An* und entfernen Sie die dort eingetragene Adresse.
3. Drücken Sie nun die Tastenkombination [Strg]+[V]. In dem Feld *An* sollte nun die Adresse des Verkäufers zu sehen sein, die Sie aus der Mail herauskopiert haben.
4. Schreiben Sie nun Ihre E-Mail: Bestätigen Sie noch einmal den Kauf, und bitten Sie um Mitteilung der Kontoverbindung. Falls der Verkäufer keine Versandkosten angegeben hat, sollten Sie zudem danach fragen. Sind Ihnen die Versandkosten bekannt, geben Sie

den Gesamtbetrag an, den Sie überweisen wollen; Missverständnisse lassen sich so von vornherein vermeiden.
5. Durch einen Mausklick auf *Senden* bringen Sie die Mail auf den Weg.

Das steckt hinter Paypal

Bei vielen Auktionen werden Sie ein kleines Symbol entdecken, das Sie darauf hinweisen soll, dass der Verkäufer auch Zahlungen per Paypal akzeptiert. Bei vielen ausländischen Anbietern ist die Zahlung per Paypal sogar die einzige Möglichkeit, die Ihnen zur Verfügung steht. Hinter Paypal steckt ein Tochterunternehmen von eBay, mit dessen Hilfe Sie Ihre bei eBay gekauften Waren besonders komfortabel und sicher bezahlen können sollen.

So funktioniert Paypal

Damit Sie per Paypal bezahlen können, müssen Sie ein Konto bei dem Bezahldienst eröffnen. Das funktioniert über die Seite www.paypal.de. Haben Sie ein Paypal-Konto, ist die Bezahlung von Waren per Internet ganz einfach: Alles, was Sie benötigen, ist die E-Mail-Adresse des Empfängers. Sie teilen Paypal mit, dass Sie Geld an diesen Empfänger schicken möchten. Hat der Empfänger ebenfalls ein Paypal-Konto, kann die Überweisung direkt abgewickelt werden, ansonsten bittet Paypal den Empfänger, ein Konto einzurichten. In der Praxis werden Sie allerdings nur solchen Empfängern Geld per Paypal schicken, die bereits ein Konto haben und Zahlungen direkt annehmen können.

Um den fälligen Betrag zu begleichen, stehen Ihnen mehrere Möglichkeiten zur Verfügung:

- Das Geld lässt sich direkt von einem Paypal-Guthabenkonto aus versenden. Das Paypal-Konto muss dazu natürlich gedeckt sein, Sie müssen also zuvor per normaler Banküberweisung genügend Geld transferiert haben.
- Möglichkeit zwei ist die Zahlung per Kreditkarte. Sie müssen dafür die Daten Ihrer Kreditkarte bei Paypal hinterlegen. Der fällige Betrag wird dann direkt von der Kreditkarte abgebucht und dem Verkäufer gutgeschrieben. Der Umweg über ein Guthabenkonto entfällt.
- Sie können Zahlungen per Lastschrift tätigen: Paypal bucht den fälligen Betrag dazu von Ihrem Girokonto ab und leitet ihn an den Verkäufer weiter.

So kommt die Ware zu Ihnen

Paypal ist in der Handhabung recht einfach – die E-Mail-Adresse des Handelspartners genügt.

Info

Paypal: In den USA ein Renner

Paypal wird von eBay massiv propagiert. Kein Wunder, schließlich handelt es sich um ein Tochterunternehmen von eBay. So verdient eBay noch ein paar Euro zusätzlich an der Bezahlung der gekauften Artikel. Entstanden ist das Unternehmen in den USA, und dort macht es auch Sinn. Denn in den Vereinigten Staaten kennt man kaum die Zahlungsmöglichkeit per Überweisung. Wer etwas bei eBay kaufte, bezahlte dies häufig per Scheck, das war umständlich und unsicher. In Deutschland allerdings sind Überweisungen von Girokonto zu Girokonto in der Regel kostenlos – warum also sollte man das kostenpflichtige Paypal benutzen? Sinnvoll ist Paypal allenfalls, wenn Sie Waren ausländischer Verkäufer bezahlen wollen.

Vorteile von Paypal

Paypal bietet eine Reihe von Vorteilen – besonders für Käufer. Die Überweisung wird Ihnen per Paypal sehr einfach gemacht: Die E-Mail-Adresse des Empfängers genügt. Zudem sind alle Käufe, die per Paypal abgewickelt werden, besonders geschützt. Unter bestimmten Bedingungen greift der Paypal-Käuferschutz. Bei Bezahlung von eBay-Transaktionen über Paypal sind ersteigerte Waren bis zum Wert von 500 Euro automatisch versichert, wenn sie nicht eintreffen oder grob von der Auktionsbeschreibung abweichen. Bis zu drei solcher Erstattungen kann man pro Kalenderjahr bekommen. Allerdings gibt es zahlreiche Verbraucherbeschwerden über die Reklamationsabwicklung bei Paypal.

Nachteile von Paypal

Eigentlich ist Paypal für den Zahlungsverkehr in Deutschland und der EU völlig überflüssig: Hierzulande lassen sich Geldbeträge problemlos von Girokonto zu Girokonto überweisen, selbst innerhalb der Europäischen Union meist gebührenfrei.

Die Überweisung per Paypal hat zudem einige entscheidende Nachteile, besonders dann, wenn Sie keine Kreditkarte benutzen. Dann müssen Sie nämlich Paypal vorab das Geld für den eBay-Kauf überweisen – Sie geben Paypal sozusagen einen zinslosen Kredit, und die Transaktion dauert sogar länger als direkt von Girokonto zu Girokonto. Den größten Nachteil aber hat der Verkäufer. Für Sie als Käufer ist die Paypal-Überweisung kostenlos, der Empfänger der Überweisung dagegen wird zur Kasse gebeten. Das sind Gebühren, die natürlich letztlich im Preis der Waren ihren Niederschlag finden müssen. Insgesamt werden die Preise durch Paypal in die Höhe getrieben – und sei es durchschnittlich nur um einige Cent pro Bezahlvorgang.

Wirklich Sinn macht Paypal nur dann, wenn Sie häufiger Waren von Verkäufern außerhalb der EU einkaufen, zum Beispiel bei chinesischen Anbietern. In diesem Fall ist Paypal nicht nur die bequemste Möglichkeit, sondern bietet gegenüber den Alternativen wie der Zahlung per Kreditkarte auch etwas mehr Sicherheit.

Mehr Sicherheit mit dem Treuhandservice

Wenn es Probleme bei Auktionen gibt, dann fast immer in der Art, dass der Käufer das Geld überwiesen hat, die Ware bei ihm aber nicht eintrifft. Das ist ärgerlich, manchmal aber auch richtig teuer. Größere Betrugsfälle liefen bisher fast immer so ab, dass der Verkäufer hochwertige Elektronikartikel wie Notebooks und Digitalkameras gleich im Dutzend angeboten hat, diese dann aber gar nicht liefern konnte, sondern mit Vertröstungen und Versprechungen die Käufer möglichst lange hingehalten hat.

Um einem solchen Betrug von vornherein vorzubeugen, können Sie auf den Treuhandservice zurückgreifen. Dieser kostenpflichtige Dienst empfiehlt sich vor allem, wenn Sie das Gefühl haben, der Verkäufer könnte versuchen, Sie auszutricksen.

Das steckt hinter dem eBay-Treuhandservice

Treuhandservice bedeutet: Zwischen Käufer und Verkäufer wird eine dritte, unabhängige Person eingeschaltet, eben ein Treuhänder. Dieser kümmert sich darum, dass beide Parteien zu ihrem Recht kommen. Im Fall von eBay läuft das dann wie folgt ab:

- Käufer oder Verkäufer müssen den Treuhandservice beauftragen und sich im Vorfeld auch über die Übernahme der Kosten einig werden.

Info

eBay als Treuhänder
Beim Treuhandservice ist eine Zwischenstation in den Handel eingeschaltet und ermöglicht die Kontrolle über jeden einzelnen Schritt der Transaktion. Das gibt sowohl Käufern als auch Verkäufern Sicherheit, kostet aber natürlich Geld und lohnt sich daher nur für hochwertige Waren.

So kommt die Ware zu Ihnen

- Nach der Beauftragung überweist der Käufer den Auktionsbetrag an das Konto des Treuhandservices.
- Der Treuhandservice meldet sich beim Verkäufer und informiert diesen darüber, dass das Geld eingetroffen ist.
- Nun ist der Verkäufer am Zug: Er schickt die Ware an den Käufer.
- Der Käufer überprüft die Ware und gibt dem Treuhandservice sein Okay.
- Der Treuhandservice überweist nun das Geld an den Verkäufer, die Auktion ist damit abgeschlossen.

Durch den Treuhandservice lassen sich bestimmte Probleme von vornherein ausschließen. So ist gewährleistet, dass der Verkäufer sein Geld bekommt; als Käufer haben Sie aber auch die Gewähr, dass Sie tatsächlich die gekaufte Ware erhalten – bevor Sie das Geld für den Verkäufer freigeben, haben Sie ja die Möglichkeit, die Ware zu prüfen.

Schritt für Schritt wird der Kauf abgewickelt – der Treuhandservice ist immer zwischengeschaltet.

So funktioniert der Treuhandservice

Beim Treuhandservice überwacht iloxx die Zahlungsabwicklung als vertrauenswürdige, unabhängige Partei.

1. Der Käufer überweist das Geld an iloxx.
2. iloxx meldet dem Verkäufer den Geldeingang.
3. Der Verkäufer versendet die Ware an den Käufer.
4. Der Käufer meldet iloxx den ordnungsgemäßen Empfang der Ware.
5. iloxx überweist das Geld an den Verkäufer.

Besonders vorsichtig sollten Sie werden, falls der Verkäufer Treuhandservice und persönliche Abholung strikt ablehnt, stattdessen aber den Versand per Nachnahme vorschlägt. Argument: „Sie müssen ja nur zahlen, wenn ich das Paket wirklich schicke." Das stimmt zwar, aber der Versand per Nachnahme stellt nicht sicher, dass Sie wirklich das bekommen, wofür Sie bezahlen. Unter Umständen haben Sie dann für zwei gut eingepackte Ziegelsteine reichlich viel Geld bezahlt. Zudem entstehen durch den Versand per Nachnahme zusätzliche Kosten, die in der Regel vom Käufer getragen werden müssen.

So nutzen Sie den Treuhandservice

Der Treuhandservice ist kein direkter Service von eBay, sondern wird von einem Partnerunternehmen des Auktionshauses angeboten. Das ist der Grund, warum es in anderen Ländern, in denen eBay aktiv ist, teilweise mehrere Unternehmen gibt, die den Service anbieten. In Deutschland gibt es derzeit nur ein Unternehmen, das direkt mit eBay zusammenarbeitet.

> **Tipp**
>
> **Ware am besten persönlich abholen**
>
> Gibt es die Möglichkeit, dann empfiehlt es sich, hochwertige Waren persönlich beim Verkäufer abzuholen. Sie können die Ware dann vor Ort in Augenschein nehmen und auf mögliche Defekte prüfen. Zudem sparen Sie die Versandkosten.

Mehr Sicherheit mit dem Treuhandservice

Um den Treuhandservice für einen Artikel in Anspruch zu nehmen, müssen Sie sich vorher mit dem Verkäufer darüber verständigen. Zum einen, da der Verkäufer sein Geld nicht direkt bekommt, sondern erst, nachdem Sie den Artikel geprüft haben. Zum anderen geht es auch darum, wer die Kosten des Services übernimmt. Schreiben Sie dem Verkäufer daher am besten noch vor Ablauf der Auktion eine E-Mail, in der Sie fragen, ob er bereit wäre, die Auktion über den Treuhandservice abzuwickeln. Teilweise bieten Verkäufer den Treuhandservice auch von sich aus als Option an. Ist der Verkäufer mit der Nutzung des Treuhandservices grundsätzlich nicht einverstanden, sollten Sie noch einmal überdenken, ob Sie den Kauf bei diesem Anbieter tätigen möchten.

Für Verkäufer ist es leichter, den Service anzustoßen. Alle wichtigen Daten können direkt von eBay übernommen werden.

Haben Sie das Einverständnis des Verkäufers, können Sie den Service beauftragen. Sie benötigen dafür die Artikelnummer des gekauften Artikels. Diese zehnstellige Nummer finden Sie in der Titelzeile der Auktionsbeschreibung oder auf der Seite *Mein eBay* in der Liste der gekauften Artikel.

So geht's:

Um den Treuhandservice zu nutzen, gehen Sie folgendermaßen vor:

1. Um zur Startseite des Treuhandservices zu gelangen, rufen Sie die Startseite von eBay auf. Am unteren Rand finden Sie mehrere Symbole, darunter auch eines mit der Beschriftung *Treuhandservice*. Sollte dieses Symbol nicht vorhanden sein, können Sie auch direkt zur Startseite des Treuhandservices gelangen. Geben Sie dazu in

der Adresszeile des Internetbrowsers die folgende Adresse ein:

http://pages.ebay.de/help/community/escrow.html

2. Auf der Startseite des Treuhandservices finden Sie eine genaue Erklärung, wie der Dienst funktioniert. Zudem können Sie hier die Kosten für Ihre konkrete Transaktion überprüfen, indem Sie auf *Kosten des Treuhandservices* klicken.
3. Wollen Sie den Auftrag für den Service starten, klicken Sie auf *Hier starten*. Sie müssen sich danach zunächst einloggen und zustimmen, dass Ihre eBay-Daten an das Treuhandunternehmen weitergegeben werden dürfen.
4. Ist diese Anmeldung beim Treuhandservice erfolgreich, erscheint eine neue Seite. Dort müssen Sie nun die Artikelnummer der Auktion eingeben. Klicken Sie danach auf *Auktion laden*.
5. Nun sehen Sie alle relevanten Informationen wie den Verkaufspreis und Ihre Kontaktadresse. Sie können diese Daten noch korrigieren. Zugleich erfahren Sie auf dieser Seite, was der Treuhandservice in Ihrem konkreten Fall kostet. Mit *Auftragsstart* fahren Sie fort und schalten den Auftrag frei.
6. Die Abwicklung über den Treuhandservice hat nun begonnen. Sie erhalten vom Treuhanddienst eine E-Mail, in der alle weiteren Schritte beschrieben werden.

Nicht vergessen: Bewertung abgeben

Mit dem Abschluss der Kaufabwicklung beziehungsweise dem Auftrag an den Treuhandservice geht nun alles seinen Gang: Nach einigen Tagen sollten der Verkäufer das Geld auf dem Konto und Sie die Ware zu Hause haben. Was jetzt noch fehlt, um die Auktion endgültig abzuschließen, ist eine Bewertung des Verkäufers.

Abzugebende Bewertungen aufrufen

Sowohl Käufer als auch Verkäufer können nach dem Ende einer Auktion jeweils eine Bewertung abgeben und auf die Bewertung des anderen antworten. Auf diesen Möglichkeiten baut im Wesentlichen das komplette Bewertungssystem von eBay auf. Der Gedanke dahinter: Hat ein eBay-Verkäufer eine Reihe von Negativbewertungen angesammelt, wird er von anderen Käufern gemieden. Verkäufer haben eine ähnliche Möglichkeit bei Bietern mit schlechter Bewertung: Sie können Bieter von der Gebotsliste streichen – in der Regel eben dann, wenn Ihnen deren Bewertungsschema als zu negativ erscheint.

Nicht vergessen: Bewertung abgeben

Info

Wer sollte wann bewerten?

Wann Sie beziehungsweise Ihr Handelspartner die Bewertung abgeben sollten, ist eigentlich klar geregelt: Nämlich in dem Moment, in dem Ihr jeweiliger Teil der Transaktion abgeschlossen ist. Für Sie bedeutet das: Eine Bewertung sollten Sie in dem Moment abgeben, in dem Sie die Ware in Händen halten und sich von der Qualität überzeugt haben. Der Verkäufer ist eigentlich schon früher dran: Wenn er das Geld von Ihnen erhalten und die Ware abgeschickt hat, ist die Transaktion für ihn beendet.

In der Praxis sieht es meist anders aus: Viele Verkäufer warten, bis der Käufer sie bewertet hat, und nutzen bei einer Negativbewertung die Möglichkeit, dem Käufer ebenfalls eine Negativbewertung zu „verpassen". Das ist nicht im Sinne von eBay und führt dazu, dass Bewertungsprofile oft nur die halbe Wahrheit enthalten.

Eine Bewertung können Sie übrigens abgeben, sobald eine Auktion beendet ist – in diesem Moment ist der Kauf für eBay praktisch schon abgeschlossen. Aber: Eine Bewertung abzugeben empfiehlt sich erst dann, wenn Sie den Artikel in Händen halten. Bis 90 Tage nach der Auktion können Sie Ihre Bewertung abgeben – danach fällt die Auktion aus der eBay-Datenbank, eine Bewertung ist dann nicht mehr möglich.

So geht's:

Um eine Bewertung abzugeben, gehen Sie wie folgt vor:

1. Gehen Sie auf die Seite *Mein eBay*. Im Abschnitt *Zusammenfassung* finden Sie den Bereich *Artikel kaufen: Nicht vergessen!* Dort steht, für wie viele Artikel Sie noch Bewertungen abgeben können.

   > Artikel verkaufen: Nicht vergessen! (letzte 31 Tage)
   > € Ein Artikel ist noch nicht bezahlt.
   > ☆ Bewertungen für 2 Artikel abgeben.
   > 7 Artikel, die ich verkauft habe, sind für die Unterbreitung eines Angebots an unterlegene Bieter berechtigt.

   Haben Sie noch Bewertungen abzugeben? eBay weist Sie im Bereich *Mein eBay* darauf hin.

2. Klicken Sie auf den blau unterlegten Text. Es werden nun alle Artikel angezeigt, die Sie gekauft haben, für die Sie aber noch keine Bewertung abgegeben haben.
   In der Spalte *Nächster Schritt* finden Sie eine kleine Schaltfläche mit einem nach unten weisenden Pfeil. Klicken Sie darauf, klappt ein Zusatzmenü auf – dort wählen Sie den Eintrag *Bewertung abgeben*.

So kommt die Ware zu Ihnen

3. Es öffnet sich eine neue Seite mit einem Formular. Dort sind der Name des Verkäufers und die Auktionsnummer bereits eingetragen. In der Zeile *Bitte bewerten Sie die gesamte Transaktion* geben Sie nun Ihr Urteil über die Auktion ab – entweder positiv, neutral oder negativ. Standardmäßig ist hier *Ich gebe meine Bewertung später ab* aktiviert.
4. In das Textfeld *Kommentar* können Sie nun noch einen kurzen Kommentar (maximal 80 Zeichen) eingeben. Es ist üblich, bei positiven Bewertungen kurz herauszustellen, was besonders positiv war, zum Beispiel eine schnelle Überweisung oder ein sehr freundlicher Umgangston.
5. Bewerten Sie einen Verkäufer, können Sie zudem ein Urteil über vier Einzelheiten der Transaktion abgeben: über die Genauigkeit der Artikelbeschreibung, wie zufrieden Sie mit der Kommunikation mit dem Verkäufer waren, wie schnell er den Artikel verschickt hat und ob die Versand- und Verpackungsgebühren angemessen waren. Die Bewertung erfolgt hier in Sternen, maximal fünf Sterne sind möglich. Die Besonderheit: Diese Bewertung bleibt anonym – Sie können also Kritik üben, ohne eine neutrale oder negative Bewertung abgeben zu müssen.
6. Haben Sie die Bewertung wie gewünscht eingetragen, klicken Sie am Ende der Seite auf *Bewertung abgeben*.

7. Sollten Sie eine neutrale oder negative Bewertung abgegeben haben, dann müssen Sie dies noch einmal extra bestätigen. eBay weist Sie zudem darauf hin, dass Sie versuchen sollten, Streitigkeiten anderweitig aus der Welt zu schaffen und zunächst Kontakt zu dem Verkäufer aufzunehmen. Bestätigen Sie allerdings diese Meldungsseite, wird die Neutral- oder Negativbewertung in das Bewertungsprofil Ihres Handelspartners aufgenommen.

Unangenehm: Auf Negativbewertungen reagieren

Eines vorab: Einmal abgegebene Bewertungen lassen sich in der Regel nicht mehr rückgängig machen. Ehe Sie also jemanden negativ oder neutral bewerten, sollten Sie versuchen, die Probleme vorab per E-Mail oder auch telefonisch zu klären. Eine Negativbewertung ganz ohne Rücksprache zu verteilen, ist oft nicht fair und birgt zudem die Gefahr, dass Ihr Handelspartner Sie aus Rache ebenfalls negativ bewertet. Die meisten eBay-Mitglieder sind sehr daran interessiert, „saubere" Geschäfte zu tätigen und das eigene Bewertungsprofil von Negativbewertungen freizuhalten. Eine Reklamation hat bei seriösen Verkäufern daher durchaus Chancen auf Erfolg.

Tipp

Probleme lassen sich oft klären.

Niemand bekommt gerne eine negative Bewertung. Verkäufer, die auf Seriosität bedacht sind, werden versuchen, ihr Bewertungsprofil „sauber" zu halten – sonst kann der Umsatz deutlich leiden. Sie können daher davon ausgehen, dass ein Verkäufer ein Interesse daran hat, auftauchende Probleme aus der Welt zu räumen. Es gibt also oft gute Chancen auf eine Verständigung.

Die E-Mail-Adresse Ihres Gegenübers finden Sie in der E-Mail, die Sie kurz nach Auktionsende von eBay erhalten haben. Die Telefonnummer können Sie mit ein wenig Glück per Internet herausfinden (www.telefonbuch.de), oder Sie fragen den Verkäufer per E-Mail danach – schließlich sollte auch er ein Interesse daran haben, die Angelegenheit zu klären. Sie sollten Ihrem Gegenüber dabei die Möglichkeit einräumen, die Angelegenheit zu erläutern, und ihm für seine Stellungnahme eine angemessene Frist setzen.

Lässt sich kein Kompromiss finden, dann bleibt Ihnen die Negativbewertung noch als letzte Möglichkeit. Allerdings sollten Sie dabei einige Dinge beachten:

- Ihre Bewertung ist allen Nutzern von eBay zugänglich. Sie ist damit öffentlich und wird zu einem Teil der Unterlagen des eBay-Mitglieds, das Sie bewerten.
- Sie sollten in der Bewertung immer sachlich bleiben. Beleidigungen, Unterstellungen und Verleumdungen haben dort nichts verloren. Es ist möglich, Ihre Äußerungen strafrechtlich verfolgen zu lassen. Beschreiben Sie daher nur den Sachverhalt aus Ihrer Sicht, zum Beispiel: „Trotz mehrerer E-Mails keine Antwort; scha-

So kommt die Ware zu Ihnen

de." Oder: „Ware kam beschädigt an, keine Verständigung möglich."
- Auch Kraftausdrücke sind in der Bewertung ausdrücklich untersagt und werden von eBay sogar entsprechend ausgefiltert.

Recht

Was kann passieren, wenn ich in einer Bewertung falsche Angaben mache?

Negative eBay-Bewertungen waren schon Gegenstand zahlreicher Rechtsstreitigkeiten vor deutschen Gerichten. Das liegt daran, dass Bewertungsprofil und Geschäftserfolg unmittelbar zusammenhängen: Händler mit vielen Negativbewertungen werden von potenziellen Käufern gemieden. Bei der Äußerung von Kritik ist zwischen einfachen Meinungsäußerungen, Beleidigungen und Tatsachenbehauptungen zu unterscheiden:

Meinungsäußerungen sind subjektive Werturteile, wie zum Beispiel „Verkäufer war beim E-Mail-Schriftverkehr sehr unfreundlich" oder „Ware gefällt mir nicht gut". Solange man nicht – insbesondere durch Verwendung von Kraftausdrücken – die Grenze zur Beleidigung überschreitet, sind solche Angaben in der Regel von der Meinungsfreiheit geschützt, und außer einer Rachebewertung durch den Kritisierten droht wenig Ungemach.

Anders ist das bei Tatsachenbehauptungen wie zum Beispiel „Ware hat einen Wackelkontakt", „Produkt entspricht nicht den technischen Angaben in der Artikelbeschreibung" oder auch „Firma des Verkäufers existiert überhaupt nicht". Das sind Angaben, bei denen man sich absolut sicher sein sollte, dass man diese im Streitfall auch beweisen kann. Stellt man unwahre Tatsachenbehauptungen in den Raum, schädigen diese den Verkäufer unmittelbar, und man kann von ihm auf Unterlassung und unter Umständen sogar auf Schadenersatz in Anspruch genommen werden.

Gleichzeitig kann man sich so natürlich auch selbst wehren, wenn ein Geschäftspartner unrichtige Behauptungen aufstellt und ungerechtfertigterweise eine Negativbewertung abgibt.

Kapitel 5
Probleme lösen, Betrügern vorbeugen

Probleme lösen, Betrügern vorbeugen

Das können Sie bei Problemen tun – so gehen Sie Betrügern aus dem Weg

Was im Leben ist schon ohne Risiko? Auch beim Handel bei eBay kann es immer wieder Probleme geben. In den allermeisten Fällen läuft zwar alles reibungslos ab, doch wenn es Ärger gibt, sollten Sie wissen, welche Möglichkeiten Sie haben. Solange Sie nicht an einen Verkäufer geraten, der Sie bewusst über den Tisch zu ziehen versucht, ist es oft möglich, einen Kompromiss auszuhandeln. Haben Sie es mit einem Profihändler zu tun, greifen zudem gesetzliche Regelungen, die Ihnen eine Gewährleistung einräumen und sogar die Möglichkeit bieten, die Ware zurückzugeben.

Ihre Rechte und Pflichten als Käufer

Durch den Gewinn einer Auktion oder den Sofortkauf eines Artikels gehen Sie einen rechtsgültigen Kaufvertrag mit dem Verkäufer ein. Das bedeutet, dass Sie Pflichten, aber auch Rechte haben.

Ihre Pflicht besteht darin, den Auktionspreis plus die vereinbarte Summe für Verpackungs- und Versandkosten an den Verkäufer zu bezahlen. Was die Versandkosten angeht, so ist entscheidend, was auf der Seite der Artikelbeschreibung steht. In aller Regel wird dort die Höhe der Versandkosten angegeben – der Verkäufer kann dies beim Einstellen der Auktion in das eBay-System erledigen.

Sind keine konkreten Kosten angegeben, ist meist nur pauschal die Rede davon, dass der Käufer diese Kosten übernimmt. Hier ist es am besten, wenn Sie sich vor dem Kauf mit dem Verkäufer verständigen, um keine bösen Überraschungen zu erleben. Sie können aber in der Regel von „handelsüblichen" Versandkosten ausgehen, sprich dem, was die Deutsche Post AG für den Versand berechnet.

Fast 100 Euro Versandkosten? Vor dem Bieten sollten Sie genau kontrollieren, ob Sie mit allen Bedingungen des Verkäufers einverstanden sind.

Versandkosten:	EUR 99,00 Versicherter Versand Service nach: Deutschland (Weitere Versandservices)
Versand nach:	Europa
Artikelstandort:	Keine Abholung möglich, Deutschland

Besteht der Verkäufer nach der Auktion auf einem teureren Versand (zum Beispiel unfrei oder per Nachnahme) und will Ihnen dafür die

Kosten aufbürden, dann sollten Sie Protest einlegen. Denn: Was nicht explizit auf der Seite der Artikelbeschreibung angegeben ist, gilt auch nicht als vereinbart.

> **Info**
>
> **eBay bleibt außen vor.**
> Von eBay sollten Sie bei Problemen mit einem Verkäufer keine allzu große Hilfe erwarten, denn das Auktionshaus sieht sich nur als Vermittler. Mit Hilfe von eBay wird der Kontakt zwischen zwei Interessenten hergestellt, nicht weniger, aber auch nicht mehr. Um den Ruf als zuverlässige Handelsplattform nicht zu verlieren, hat eBay aber inzwischen diverse Kontrollen eingebaut, um zumindest Betrügern keine Chance zu geben. Wenn trotzdem etwas schiefgeht, kann in manchen Fällen sogar – was viele nicht wissen – eine Versicherung in Anspruch genommen werden. Zudem behält eBay sich vor, unzuverlässige Mitglieder hinauszuwerfen.

So klären Sie Probleme direkt mit dem Verkäufer

Wenn eine Auktion doch einmal schiefgegangen ist, brauchen Sie nicht wie ein begossener Pudel dazustehen. Sie haben in vielen Fällen durchaus gute Chancen, noch etwas auszurichten. Oft ist nur die Frage, ob sich der Aufwand lohnt: Bei einem niedrigen Verkaufspreis ist es nämlich manchmal einfach besser, die Sache auf sich beruhen zu lassen und zu vergessen.

Und wenn Sie gezielt betrogen wurden, dann ist mit „Hausmitteln" in der Regel ohnehin nichts auszurichten – in diesem Fall können nur Anwalt oder Polizei weiterhelfen.

> **Tipp**
>
> **Kritische Auktionen schwarz auf weiß aufbewahren**
> Grundlage für den Kaufvertrag, der zwischen Ihnen und Ihrem Gegenüber zustande kommt, ist immer die Auktionsbeschreibung des Verkäufers. Gibt es Probleme mit einer Auktion, sollten Sie die Artikelseite komplett ausdrucken – nach spätestens 90 Tagen ist die Auktion nämlich aus der Datenbank von eBay verschwunden, und Sie haben dann keine Möglichkeit mehr, bestimmte Dinge zu belegen. Auch E-Mails, die Sie mit Ihrem Handelspartner ausgetauscht haben, gehören ausgedruckt: Auf der Festplatte können wichtige Mails zu schnell verloren gehen.

Persönlichen Kontakt aufnehmen

In Streitfällen sollten Sie zunächst den persönlichen Kontakt suchen, um Missverständnisse auszuräumen. Viele Dinge sind nämlich An-

Probleme lösen, Betrügern vorbeugen

Fast alle E-Mail-Programme können zusätzliche Ordner anlegen. Legen Sie einen solchen Ordner für eBay an und speichern Sie alle entsprechenden Mails darin.

sichtssache. Ist ein Artikel nun defekt, oder haben Sie falsche Vorstellungen von einer Funktion gehabt? Arbeitet das Bauteil – zum Beispiel bei Computerkomponenten – nicht richtig, oder liegt das Problem vielleicht darin, dass das neu erworbene Teil mit den übrigen Geräten in Ihrem PC nicht kompatibel ist?

Schildern Sie dem Verkäufer die Situation und die Probleme, die Sie haben, und unterbreiten Sie einen Lösungsvorschlag – beispielsweise die Rücknahme des Artikels, Nachbesserung oder Preisermäßigung. Ist ein Verkäufer guten Willens, dann wird er auf Ihre Mail reagieren und ebenfalls an einer Lösung interessiert sein. Um den Verkäufer zu kontaktieren, können Sie die E-Mail-Adresse nutzen, die Sie kurz nach dem Ende der Auktion von eBay erhalten haben. Diese Mail sollten Sie sowieso bei allen Auktionen in einem eigenen Mail-Ordner archivieren.

Miese Tricks von Betrügern durchschauen

Wenn im Zusammenhang mit eBay von Betrug die Rede ist, dann geht es fast immer darum, dass gutgläubige Käufer von ausgebufften Betrügern übers Ohr gehauen wurden. Wer sich den Fall näher anschaut, der merkt allerdings auch schnell, dass bei vielen Käufern eine gute Portion Blauäugigkeit hinzukommt. Denn häufig genug gehen Betrüger bei eBay mit den immer gleichen oder zumindest sehr ähnlichen Maschen ans Werk. Im Endeffekt geht es schließlich immer darum, dem Käufer Geld aus der Tasche zu ziehen, ohne eine entsprechende Gegenleistung zu erbringen. Sie sollten daher genau hinschauen, mit wem Sie ein Geschäft abschließen wollen. Gute Hinweise darauf bietet ein Blick aufs Bewertungsprofil des Händlers. Manche Ungereimtheit lässt sich hier schon im Vorfeld erkennen.

Handel mit Niedrigpreisprodukten

Die folgende Situation ist keine Seltenheit: Im Vorfeld des geplanten Betrugs bietet ein Verkäufer Billigprodukte wie Modeschmuck oder Batterien an. Diese wechseln für wenige Euro den Besitzer. Der Betrüger liefert schnell und zuverlässig und hat so schon nach wenigen Wochen etliche positive Bewertungen. Erst danach werden hochwertige Produkte zur Auktion angeboten. Mit welchen Waren der Verkäufer zuvor gehandelt hat, können Sie überprüfen, indem Sie sich das Bewertungsprofil etwas genauer anschauen. Bei Auktionen aus den letzten 90 Tagen wird automatisch mit angezeigt, um welchen Artikel es sich gehandelt hat. Sie können sogar die Auktionsseiten der letzten 90 Tage aufrufen, indem Sie auf die Artikelnummer klicken, die Sie in jeder Bewertungsspalte finden. Hat der Verkäufer nie zuvor hochwertige Produkte verkauft, sondern Waren aus einem ganz anderen Bereich, sollte Sie das stutzig machen.

Schon ein kurzer Blick ins Bewertungsprofil zeigt, mit was für Produkten der Verkäufer bisher gehandelt hat.

Achtung

Beschreibung ganz genau lesen!

Über den eindeutigen Betrug hinaus gibt es Bereiche, die sich nicht als klarer Betrug identifizieren lassen, bei denen Sie sich hinterher aber wohl betrogen vorkommen werden. Was würden Sie hinter einer Auktion vermuten, wenn die Überschrift lautet: „Grafikkarte Hersteller xyz Originalverpackung"? Vermutlich eben jene Grafikkarte in der dazugehörigen Verpackung. Wer dann aber im Kleingedruckten nachliest, der findet heraus: Es handelt sich nicht um die Grafikkarte, sondern nur um den Karton, eben die Originalverpackung der Grafikkarte. Wichtig daher: Studieren Sie die Artikelbeschreibung ganz genau, denn sie ist Grundlage des Kaufvertrags zwischen den Handelspartnern.

Wie sind die Auktionen gestaltet?

Ein guter Anhaltspunkt kann die Gestaltung der Artikelseiten sein. Wer Produkte anbietet, die er gar nicht besitzt, weiß in der Regel auch wenig darüber. Bei der Gestaltung der Artikelbeschreibungen muss der Verkäufer daher auf das zurückgreifen, was er an anderer Stelle im Internet findet. Das sind zum Beispiel Bilder und Texte der Hersteller oder von anderen eBay-Anbietern. Schauen Sie mehrere der Auktionen des Anbieters durch, um zu sehen, ob diese immer nach dem gleichen Strickmuster aufgebaut sind: neutrales bis nichtssagendes Bild (erkennbar keine selbst gemachten Bilder oder Detailaufnahmen) und ein ebensolcher Text aus dem Versandhauskatalog oder von der Internetseite des Herstellers.

So sichern Sie sich ab

Gewusst wie, gibt es einige Wege und Methoden, wie Sie sich schon im Vorfeld absichern und so vielen Problemen aus dem Weg gehen

Probleme lösen, Betrügern vorbeugen

können. Teilweise ist das zwar mit zusätzlichen Kosten und Mühen verbunden – billiger als auf einen Betrug hereinzufallen, ist es aber in jedem Fall.

Wenn Ihnen bei einer Auktion etwas „spanisch" vorkommt, dann gibt es genau drei Möglichkeiten: trotzdem mitbieten, nach einem anderen Anbieter suchen oder abwarten, was nach den Auktionen des Anbieters passiert, und dann eventuell in einer späteren Auktion zugreifen. Bieten Sie trotz leichter Bedenken, dann sollten Sie rund um die Auktion Vorkehrungen treffen, um die Risiken zu minimieren.

Ware persönlich abholen

Immer noch der beste Weg, um Problemen aus dem Weg zu gehen. Vor Ort können Sie die Ware gleich in Augenschein nehmen und prüfen, ob alles wie beschrieben funktioniert. Zudem sparen Sie die Portokosten und müssen keine Wartezeit in Kauf nehmen. Beim Kauf können Sie daher bewusst darauf achten, ob ein gewünschter Artikel von einem Verkäufer in Ihrer Nähe angeboten wird. Allerdings müssen Sie vorher mit dem Verkäufer abklären, ob eine Abholung möglich ist – nicht alle Verkäufer sind damit einverstanden.

Manche Anbieter (vor allem Händler) haben in ihren Artikelbeschreibungen beispielsweise angegeben, dass eine Abholung generell ausgeschlossen ist.

Viele Händler schließen eine persönliche Abholung inzwischen aus. Privatverkäufer sind da meist entgegenkommender.

Versand als versichertes Paket

Der Versand als versichertes Paket bietet eine Reihe von Vorteilen. So sind Paketsendungen bei den meisten Paketdiensten automatisch bis zu einer bestimmten Höhe versichert. Kommt die Ware auf dem Postweg abhanden, haben Sie in einem solchen Fall gute Chancen, die Kosten erstattet zu bekommen. Zudem erhält der Absender einen Einlieferungsbeleg mit einer Identifikationsnummer. Der Verkäufer kann so nachweisen, dass er tatsächlich die Ware auf die Reise geschickt hat.

So sichern Sie sich ab

Versand per Einschreiben
Eine andere Möglichkeit ist der Versand per Einschreiben. Hier gibt es verschiedene Formen.

Die einfachste (und preisgünstigste) ist das Einwurfeinschreiben. Dabei quittiert der Postbote, dass er den Brief oder die Warensendung in Ihren Briefkasten geworfen hat – was danach passiert (zum Beispiel ob der Brief geklaut wird), ist nicht Sache der Post.

Daneben gibt es das reguläre Einschreiben (bei dem Sie den Empfang persönlich quittieren müssen), das Einschreiben mit Rückschein (bei dem der Verkäufer einen Beleg erhält, dass die Ware tatsächlich von Ihnen angenommen wurde) und das eigenhändige Einschreiben (bei dem die Sendung nur an Sie persönlich herausgegeben werden darf).

eBay-Treuhandservice nutzen
Gerade bei teuren Waren sollten Sie auf den Treuhandservice von eBay zurückgreifen. eBay selbst empfiehlt dessen Nutzung ab einem Verkaufspreis von 200 Euro.

Der Treuhandservice fungiert dabei als Zwischenstation: Sie überweisen das Geld an den Treuhänder, der Verkäufer schickt die Ware danach los. Sie prüfen den Artikel, und wenn alles in Ordnung ist, geben Sie dem Treuhänder Ihr Okay. Erst dann bekommt der Verkäufer das Geld. Ein Betrug nach dem Schema „Geld, aber keine Ware" wird damit praktisch ausgeschlossen.

> **Info**
>
> **Nachnahme ist nicht unbedingt die beste Lösung.**
>
> Eine weitere Möglichkeit des Versands ist die Nachnahmesendung. Dabei bezahlen Sie den Auktionspreis mit dem Eintreffen des Pakets an den Postboten. Allerdings haben Sie bei dieser Art von Versand keine Garantie, dass Sie wirklich bekommen, was Sie bezahlen. Den Inhalt der Postsendung können Sie vor dem Bezahlen nicht überprüfen.
>
> Der Treuhandservice bringt Sicherheit, lohnt sich aber nur für teurere Artikel.

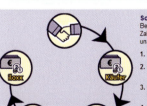

Probleme lösen, Betrügern vorbeugen

Was tun, wenn etwas schiefgeht? So setzen Sie sich zur Wehr

Einfach vergessen oder sich wehren? Das ist die große Frage, wenn Sie nach einer Auktion das Gefühl haben, dass Sie übers Ohr gehauen wurden. Beträgt der Verlust nur wenige Euro, ist es manchmal stressfreier, die Sache einfach auf sich beruhen zu lassen – stellen Sie Zeit und Ärger in Rechnung, die Sie damit verbringen würden, den Auktionsbetrag zurückzuerhalten, lohnt sich die Sache meistens nicht. Die Möglichkeit einer Negativbewertung des Verkäufers ist Ihnen natürlich ungenommen – Sie können so immerhin andere potenzielle Opfer warnen.

Negativbewertung abgeben

Eine Negativbewertung ist eine der schärfsten Waffen, die Ihnen als Käufer innerhalb von eBay zur Verfügung stehen (sie wird nur durch die Meldung des Verkäufers bei eBay übertroffen).

Sie können sicher sein: Jeder, der sich in nächster Zeit das Bewertungsprofil des Verkäufers anschaut, wird Ihre Negativbewertung wahrnehmen. Mit der Abgabe Ihrer Bewertung haben Sie Ihr Pulver allerdings auch weitestgehend verschossen. Die Drohung mit einer Negativbewertung hat aber schon so manchen Verkäufer zum Einlenken bewegt, weil er nicht wollte, dass sein Bewertungsprofil Schaden nimmt.

Bei eBay beschweren

Wenn Sie glauben, einem Betrüger aufgesessen zu sein, oder sich der Verkäufer Ihnen gegenüber regelwidrig verhalten hat, können Sie sich an den eBay-Kundendienst wenden. Dieser kann zum Beispiel eine Verwarnung gegen den Verkäufer aussprechen – bei drei Verwarnungen kann das Mitglied komplett vom Handel ausgeschlossen werden.

Mehr Informationen dazu und ein Formular, um sich an den Kundendienst zu wenden, finden Sie im Hilfesystem von eBay.

So geht's:

Um sich bei eBay über einen Verkäufer zu beschweren, gehen Sie wie folgt vor:

1. Klicken Sie in der Serviceleiste auf *Hilfe*.
2. Wählen Sie nun im linken Menübereich *Index A-Z* und klicken Sie

Was tun, wenn etwas schiefgeht? So setzen Sie sich zur Wehr

anschließend den Buchstaben *U* an. Klicken Sie dann auf den Link *Untersuchungen*. Es erscheint eine Hilfeseite, auf der Sie alles Weitere erfahren.

- Angebote für Käufe oder Verkäufe außerhalb von eBay
- Unzulässige Gebotsrücknahme
- Nicht bezahlte Artikel
- Unerwünschte Käufer
- Bieten auf eigene Artikel

Verstöße beim Verkaufen

- Bieten auf eigene Artikel
- Nichterbringung der versprochenen Leistungen durch den Verkäufer
- Angebote für Käufe oder Verkäufe außerhalb von eBay
- Umgehung von Gebühren

Hinweis: Wenn Sie einen Artikel bei eBay angeboten haben, vom Käufer des Artikels aber Artikel ein Angebot an unterlegene Bieter unterbreiten. Bei dieser Vorgehensweise gelten für angebotenen Services, wie z.B. eBay Standard-Käuferschutz und Bewertung.

Verstöße im Zusammenhang mit Kontaktdaten/Identität

- Vorsätzlich falsche Darstellung der eigenen Identität
- Falsche oder fehlende Kontaktdaten

> Sie können eBay bei einer Reihe von Unregelmäßigkeiten einschalten. Die entsprechenden Formulare sind allerdings gut im eBay-System versteckt.

Versicherung von eBay in Anspruch nehmen

Was viele nicht wissen: Artikel, die über eBay gekauft werden, sind versichert.

Sie können diese Versicherung in Anspruch nehmen, wenn Sie einen Artikel bezahlt haben, der Verkäufer aber nichts geliefert hat. Oder der Verkäufer hat eine Ware geschickt, die im Wert nicht der Beschreibung entspricht (Beispiel: statt der goldenen Uhr haben Sie nur eine vergoldete bekommen).

Diese Versicherung nennt sich „Käuferschutzprogramm" und ist eine Kulanzleistung von eBay, sprich: Einen Rechtsanspruch darauf haben Sie nicht.

So geht's:

Um den eBay-Käuferschutz zu beantragen, gehen Sie folgendermaßen vor:

1. Klicken Sie in der Serviceleiste auf *Hilfe*.
2. Wählen Sie nun im linken Menübereich *Index A-Z* und klicken Sie

Probleme lösen, Betrügern vorbeugen

anschließend den Buchstaben *V* an. Klicken Sie dann auf den Link *Vertrauensvoll handeln: Zahlung*. Auf der Seite, die Sie nun sehen, finden Sie einen Abschnitt *eBay Käuferschutz* mit den entsprechenden Links.

3. Überprüfen Sie, ob Sie alle Bedingungen für die Beantragung des Käuferschutzes erfüllen. Sie können dann bei eBay einen entsprechenden Antrag stellen.

Recht

Was bringt eine Anzeige bei der Polizei?

Wichtig ist, dass es nicht um die sprichwörtlichen „Peanuts" geht und dass man den Sachverhalt bei der Polizei am besten durch Bildschirmausdrucke und vorliegenden Schriftverkehr darlegen kann.

Handelt es sich um einen nicht in Deutschland ansässigen Verkäufer, bringt der Gang zur Polizei in aller Regel nichts. Gleiches gilt leider häufig, wenn es sich bei Ihrem Gegenüber um eine Privatperson handelt, die sich sonst noch nichts zuschulden hat kommen lassen. Dann werden strafrechtliche Verfahren selbst bei hinreichendem Verdacht oft wegen Geringfügigkeit früh eingestellt.

Bei einem gewerbsmäßigen Verkäufer mit Sitz in Deutschland kann eine Betrugsanzeige aber manchmal den Druck ganz erheblich erhöhen. Liegen gegen den Anbieter bereits weitere Anzeigen vor, ist er in der Regel auch sehr daran interessiert, den Geschädigten zufriedenzustellen, um sich weiteren Ärger vom Hals zu halten. Im Rahmen eines strafrechtlichen Ermittlungsverfahrens wird der Beschuldigte natürlich auch immer zur Sache befragt – und durch die Post von Staatsanwaltschaft oder Polizei unsanft wachgerüttelt.

Meistens muss man die Sache aber unter Hinzuziehung eines Rechtsanwalts privatrechtlich selbst in die Hand nehmen, um seine Rechte durchzusetzen.

Auch Paypal bietet Käuferschutz

Vor einiger Zeit hat eBay den Bezahldienst Paypal übernommen und versucht seitdem, Paypal stärker in das Auktionsgeschäft einzubinden. Bietet ein Händler die Bezahlung per Paypal an, können Sie dies direkt in der Artikelübersicht erkennen. Zudem versucht eBay, das Vertrauen in den Bezahldienst zu stärken: Auch Paypal bietet nun einen Käuferschutz, den Sie unter bestimmten Umständen in Anspruch nehmen können. Erste Voraussetzung ist natürlich, dass Sie den Artikel auch mit Paypal bezahlt haben.

In folgenden Fällen greift der Paypal-Käuferschutz:

- Der Verkäufer hat den Artikel nicht versandt.
- Der Artikel weicht erheblich von der Artikelbeschreibung ab.

Was tun, wenn etwas schiefgeht? So setzen Sie sich zur Wehr

Zudem müssen folgende Bedingungen erfüllt sein:

- Der Artikel ist auf eBay.de, eBay.ch oder eBay.at eingestellt.
- Der Artikel wurde auf eBay.de, eBay.ch oder eBay.at mit Paypal bezahlt. Zur Zahlung haben Sie die Funktion *Jetzt bezahlen* auf der eBay-Website oder die Funktion *Geld senden* auf der Paypal-Website (www.paypal.de) unter Angabe der eBay-Artikelnummer verwendet.
- Bei dem gekauften Artikel handelt es sich um einen materiellen Artikel, der versandt werden kann – mit Ausnahme von Fahrzeugen. Dienstleistungen und immaterielle Güter (zum Beispiel per E-Mail zugesandte Kochrezepte und elektronische Bücher) werden nicht vom Käuferschutz abgedeckt.

Ab dem Zeitpunkt der Zahlung haben Sie 45 Tage Zeit, um ein Problem zu melden. Sollte Paypal dem Antrag auf Käuferschutz zustimmen, wird der Kaufpreis inklusive Versandkosten bis zu 500 Euro erstattet.

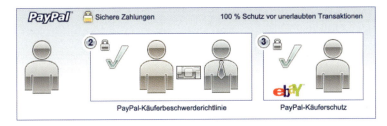

Auf der Seite von Paypal erfahren Sie Schritt für Schritt, wie Sie den Käuferschutz nutzen.

Wenn's hart auf hart kommt: Mit anderen verbünden

Trotz Bitten und Mahnungen rückt der Verkäufer die Ware nicht heraus oder stellt sich einfach stur? Und der Gang zu Rechtsanwalt oder Polizei lohnt nicht, weil der Auktionsbetrag zu gering ist? Dann bleibt Ihnen nach dem Motto „Gemeinsam sind wir stark" zu schauen, ob es andere eBay-Mitglieder gibt, die mit dem Verkäufer ähnlich schlechte Erfahrungen gemacht haben wie Sie.

Blättern Sie das Bewertungsprofil des Verkäufers durch und schauen Sie vor allem auf die neutralen und negativen Bewertungen. Gab es dort die gleichen Probleme wie bei Ihnen? Dann schicken Sie dem „Leidensgenossen" doch einfach eine E-Mail: Schildern Sie darin Ihre Erfahrungen, fragen Sie nach den eigenen und bieten Sie an, in Kontakt zu treten, um gegebenenfalls gemeinsam Anzeige bei der Polizei zu erstatten. Je mehr Geschädigte sich auf diese Weise zusammenschließen, desto besser sind die Chancen, erfolgreich gegen einen offensichtlichen Betrüger vorzugehen.

Probleme lösen, Betrügern vorbeugen

Kapitel 6
Eigene Artikel bei eBay verkaufen

Weg mit dem Krempel: Eigene Artikel bei eBay verkaufen

eBay ist nicht nur ein herrlicher Ort, um auf Schnäppchenjagd zu gehen. Ebenso interessant ist es, dort selbst Dinge zu verkaufen, die man nicht mehr benötigt. Schauen Sie doch einfach mal in Ihren Keller, auf den Dachboden oder in den Kleiderschrank. Alles, was dort schon seit Jahren herumliegt, sollten Sie mal näher unter die Lupe nehmen. Zu schade zum Wegwerfen? Dann geben Sie anderen eine Chance und verkaufen Sie Ihren „alten Krempel" bei eBay. Das ist leichter, als Sie vielleicht glauben.

Artikel direkt per Internet einstellen

Sie haben zwei Möglichkeiten, Artikel bei eBay zum Verkauf anzubieten. Entweder tragen Sie diese direkt auf der Internetseite von eBay ein, oder Sie nutzen ein spezielles Programm, bereiten Ihre Auktionen mit diesem vor und übertragen sie erst anschließend per Internet an eBay. Diese Methode bietet den Vorteil, dass Sie Auktionen ganz bequem und in Ruhe vorbereiten können, ohne mit dem Internet verbunden zu sein. Zudem haben Sie hier mehr Gestaltungsmöglichkeiten und können zum Beispiel farbigen Text oder Absätze in Ihren Auktionen verwenden. Sie können solche Gestaltungsprogramme im Handel kaufen oder auf ein Tool zurückgreifen, das eBay Ihnen kostenlos zur Verfügung stellt. Wollen Sie aber nur einen oder zwei Artikel verkaufen, geht es per Onlineformular ebenso gut.

So geht's:

Um Auktionen direkt auf der Internetseite von eBay vorzubereiten, gehen Sie wie folgt vor:

1. Rufen Sie die Startseite von eBay auf und klicken Sie in der Serviceleiste auf *Verkaufen*.
2. Als Erstes müssen Sie die folgende Frage beantworten: *Was möchten Sie verkaufen?* Es genügt, wenn Sie hier die allgemeine Beschreibung eingeben, zum Beispiel „Digitalkamera". eBay nutzt diesen Begriff, um Ihnen die Auswahl einer Kategorie zu erleichtern. Sie können den Begriff später noch ändern und konkreter fassen.

Artikel direkt per Internet einstellen

> **Achtung**
>
> **Nicht alles darf bei eBay verkauft werden!**
>
> Es gibt Artikel, deren Handel bei eBay verboten ist, solche, deren Handel fragwürdig ist, und Artikel, die möglicherweise das Urheber- oder Markenrecht verletzen und deren Auktion eBay unter Umständen streichen kann.
>
> Verboten ist zum Beispiel der Verkauf von Drogen, Waffen und pornografischen Schriften. Aber auch Tiere und Tierprodukte dürfen über eBay nicht gehandelt werden. Für fragwürdig hält eBay zum Beispiel den Verkauf medizinischer Geräte, und in die dritte Kategorie fallen unter anderem Domainnamen. Wenn Sie entsprechende Artikel bei eBay anbieten, kann es sein, dass Ihre Auktion nach kurzer Zeit vom eBay-Team gelöscht wird.
>
> Zudem sollten Sie darauf achten, nicht zu viele Artikel auf einmal anzubieten. Behörden wie das Finanzamt könnten auf die Idee kommen, dass Sie den Handel bei eBay gewerblich betreiben – und das würde bedeuten, dass Sie steuerpflichtig wären und den Käufern auch Rückgabe- und Gewährleistungsrechte einräumen müssten. Mehr Informationen zu gewerblichen Anbietern finden Sie im Kapitel *Verkaufen als Profi: So werden Sie PowerSeller* (→ Seite 113).

3. Falls noch nicht geschehen, müssen Sie sich nun einloggen. Danach können Sie eine Kategorie für den zu verkaufenden Artikel auswählen. Macht eBay keine passenden Vorschläge, klicken Sie in den Reiter *Kategorie auswählen* und begeben sich selbst auf die Suche. Sie können maximal zwei Kategorien auswählen. Bedenken Sie aber, dass Sie dann auch doppelte Angebotsgebühren zahlen.

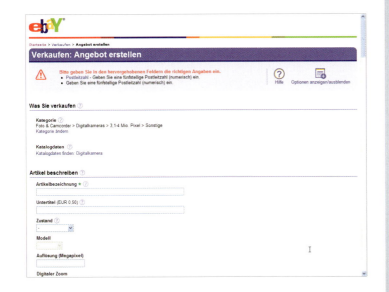

Viele leere Felder: Das Verkaufsformular von eBay auszufüllen, ist keine große Freude, eBay bietet aber an vielen Stellen Hilfe.

Eigene Artikel bei eBay verkaufen

4. Im nächsten Schritt gestalten Sie die eigentliche Auktionsseite: Überschrift, Beschreibung des Artikels, Startpreis, Angebotsdauer und einiges mehr will eBay von Ihnen wissen. Immer wenn Sie an einer Stelle nicht weiterwissen, klicken Sie auf das kleine Fragezeichen neben dem Eingabefeld – Sie bekommen dann Informationen und Tipps, wie das Feld am besten auszufüllen ist.
5. Sind alle wichtigen Felder ausgefüllt, können Sie die Auktion direkt starten – der Artikel wird in die eBay-Datenbank aufgenommen und steht damit für den Kauf bereit. Über die Kategoriensuche ist er dann in der Regel direkt auffindbar. Käufer, die nach einem Suchbegriff forschen, werden die Auktion dagegen in den meisten Fällen nicht sofort finden – die Erfahrungen aus der Praxis zeigen, dass es einige Stunden dauern kann, ehe die Auktion auch über die normale Suchfunktion von eBay auffindbar ist.

Das kostet es, Waren bei eBay zu verkaufen

Das Verkaufen bei eBay kostet Geld. Ganz zu Beginn der eBay-Geschichte war die Nutzung des Online-Auktionshauses noch kostenlos, doch inzwischen werden für diverse Dienstleistungen zum Teil recht erhebliche Gebühren kassiert. eBay hat seine Gebühren innerhalb der vergangenen Jahre mehrfach angehoben – die eBay-Nutzergemeinde hat jedes Mal mit Protest und Verärgerung reagiert. Letztlich aber hat das dem Aufstieg des Unternehmens eBay nicht schaden können – inzwischen ist eBay das mit Abstand beliebteste Online-Auktionshaus. Die Fülle des Angebots ist so groß, dass es nur wenig gibt, was Sie dort nicht finden.

Diese Gebühren kassiert eBay
Die Gebühren bei eBay fallen im Wesentlichen in drei Kategorien an:

1. Die Angebotsgebühr berechnet sich nach der Höhe des Startpreises.
2. Die Verkaufsprovision ist abhängig von der Höhe des Verkaufspreises.
3. Zusatzoptionen, zum Beispiel wenn ein Verkäufer seinen Artikel zum Top-Angebot macht, kosten noch einmal extra.

■ **Angebotsgebühren**
Die Angebotsgebühren zu berechnen, ist recht einfach, sie richten sich nach dem Startpreis. Bei einem Startpreis bis 1,99 Euro kas-

siert eBay 25 Cent Angebotsgebühren. Maximal sind 4,80 Euro fällig, wenn der Startpreis bei über 250 Euro liegt.

Da die Dienstleistung von eBay außerhalb von Deutschland erbracht wird, können Gewerbetreibende mit Sitz in Deutschland in der Regel nicht die auf eBay-Gebühren bezahlte Mehrwertsteuer als Vorsteuer geltend machen. Wenn Sie ein Gewerbe betreiben, können Sie sich von eBay unter bestimmten Voraussetzungen die Berechtigung für den Erhalt von Nettorechnungen erteilen lassen. Weitere Informationen

Angebotsgebühr

Angebotsgebühr*	
Startpreis	Angebotsgebühr*
EUR 1,00 - EUR 1,99	EUR 0,25
EUR 2,00 - EUR 9,99	EUR 0,45
EUR 10,00 - EUR 24,99	EUR 0,80
EUR 25,00 - EUR 99,99	EUR 1,60
EUR 100,00 - EUR 249,99	EUR 3,20
EUR 250,00 und höher	EUR 4,80

Angebotsgebühr* bei Angeboten mit mehreren Artikeln (Multiauktionen und Festpreisangebote)				
Startpreis/Festpreis (pro angebotenem Artikel)	2-4 Artikel	5-9 Artikel	10-19 Artikel	> 20 Artikel
EUR 1,00 - EUR 1,99	EUR 0,50	EUR 0,70	EUR 1,20	EUR 2,20
EUR 2,00 - EUR 9,99	EUR 0,80	EUR 1,40	EUR 2,20	EUR 3,40
EUR 10,00 - EUR 24,99	EUR 1,55	EUR 2,20	EUR 3,80	EUR 4,80

Angebotsgebühren werden immer fällig – auch dann, wenn ein Artikel nicht verkauft wird.

■ **Verkaufsprovisionen**

Die Höhe der Verkaufsprovision ist gestaffelt und damit etwas schwieriger auszurechnen. Grundlage ist jeweils der Auktionspreis. Die Höhe der Portokosten fließt (natürlich) nicht in die Berechnung der Verkaufsprovision mit ein. Hier eine Tabelle mit einigen Beispielen. So können Sie schneller sehen, wie hoch die Verkaufsprovisionen jeweils ausfallen:

Verkaufspreis	Provision
1 Euro	0,05 Euro
5 Euro	0,25 Euro
10 Euro	0,50 Euro
25 Euro	1,25 Euro
50 Euro	2,50 Euro
75 Euro	3,50 Euro
100 Euro	4,50 Euro
250 Euro	10,50 Euro
500 Euro	20,50 Euro
1 000 Euro	30,50 Euro
5 000 Euro	110,50 Euro
(Stand: August 2007. Alle Angaben ohne Gewähr.)	

Eigene Artikel bei eBay verkaufen

■ **Zusatzoptionen**

Gebühren für Zusatzoptionen fallen bei vielen Auktionen an: zum Beispiel wenn Sie Ihrer Auktionsbeschreibung mehr als ein Bild hinzufügen, Bilder besonders herausstellen (Galeriebild) oder falls Sie die Möglichkeit der Startzeitplanung nutzen. Darüber hinaus gibt es Basis- und Profipakete, in denen jeweils einige Zusatzoptionen zum Paketpreis angeboten werden. Das Basispaket besteht aus den Zusatzoptionen Untertitel, Galeriebild plus Nutzung einer Angebotsvorlage und kostet 1,25 Euro. Der Preis der Profipakete variiert, je nachdem in welcher Kategorie die Waren angeboten werden, zwischen 17,50 Euro und 29,50 Euro.

Ein Galeriebild fällt in Artikellisten auf und liefert einen direkten Eindruck. eBay lässt sich diese Zusatzoption aber bezahlen.

Wie teuer wird es in der Praxis?

Das Gebührensystem von eBay ist mittlerweile recht umfangreich geworden und für Anfänger nicht immer leicht zu durchschauen. Daher hier ein Beispiel einer durchschnittlichen Privatauktion:

Angenommen, Sie bieten einen Artikel (kein Auto, Motorrad, Flugzeug oder Boot – dafür gelten andere Gebührensätze) mit einem Startpreis von 1 Euro an, stellen ihn in zwei Kategorien ein, fügen insgesamt drei Bilder hinzu und erzielen einen Auktionspreis von 86 Euro. Dadurch entstehen folgende Gebühren:

- ■ Angebotsgebühr für Auktion ab 1 Euro: 25 Cent.
- ■ Gebühr für zwei zusätzliche Bilder (das erste Bild ist kostenlos): 30 Cent.
- ■ Zudem verdoppeln sich die Angebotsgebühren durch das Einstellen in zwei Kategorien. Die gesamte Angebotsgebühr beträgt daher 1,10 Euro.
- ■ Verkaufsprovision bei einem Auktionspreis von 86 Euro: 3,94 Euro.

Insgesamt kosten Sie das Anbieten und der Verkauf dieses Artikels damit 5,04 Euro – das sind immerhin fast 6 Prozent des Verkaufspreises.

Das kostet es, Waren bei eBay zu verkaufen

Gerade als Händler müssen Sie diese Kosten im Blick haben. Die Sache wird immer weniger interessant, je niedriger der Verkaufspreis ausfällt. Dann schlagen nämlich die Angebotsgebühren zu sehr zu Buche. Angenommen, der Verkaufspreis beträgt nicht 86 Euro, sondern Ihr Angebot stößt auf so geringes Interesse, dass Sie nur ein Höchstgebot von 11 Euro bekommen. Dann liegen die Gesamtkosten bei 1,65 Euro – macht schon 15 Prozent des Verkaufspreises.

Je niedriger der Verkaufspreis, desto stärker fallen die eBay-Gebühren ins Gewicht. Trotzdem gibt es auch viele niedrigpreisige Angebote bei eBay.

Info

Wer zahlt was?

In der Anfangszeit von eBay war es absolut üblich, dass unter Auktionen stand: „Käufer trägt eBay- und Versandkosten." Inzwischen allerdings hat eBay seine Grundsätze dahin gehend geändert, dass die Gebühren vom Verkäufer zu tragen sind. Der Grund dafür ist offensichtlich: Die Höhe der Gebühren ist abhängig von der Höhe des Verkaufspreises. Und weil dieser bei Auktionen nicht im Vorhinein absehbar ist, ist auch die Höhe der Gebühren nicht kalkulierbar. Für den Käufer kämen damit unberechenbare Kosten zum Kaufpreis hinzu.

eBay muss die Zahlungsverbindung kennen

Damit Sie bei eBay Waren verkaufen können, müssen Sie dem Unternehmen mitteilen, wie Sie die dabei entstehenden Gebühren bezahlen möchten. Zwei Möglichkeiten stehen zur Verfügung: Bezahlung per Kreditkarte oder per Bankeinzug. Sie müssen eBay die Daten von Girokonto oder Kreditkarte übermitteln und die Genehmigung zur Abbuchung erteilen. Diese Erlaubnis können Sie natürlich jederzeit widerrufen.

Nur wenn eBay weiß, wie Sie fällige Gebühren bezahlen möchten, können Sie auch Waren verkaufen.

Eigene Artikel bei eBay verkaufen

So geht's:

Um eBay Ihre Daten für die Bezahlung von Gebühren mitzuteilen, gehen Sie wie folgt vor:

1. Um die Daten von Konto oder Kreditkarte an eBay zu übermitteln, wählen Sie den Bereich *Mein eBay* und dort den Abschnitt *Meine Mitgliedschaft*.
2. Im Bereich *Verkäuferkonto* finden Sie die Texte *Zahlung per Lastschrifteinzug* und *Zahlung per Kreditkarte*. Klicken Sie das Gewünschte an.
3. Bei der Anmeldung zum Lastschriftverfahren tragen Sie nun Ihren Namen, Ihre Adresse und alle Kontodaten wie Bankleitzahl und Kontonummer ein. Mit einem Klick auf *Weiter* übertragen Sie die Daten an eBay.
4. Bei der Abrechnung per Kreditkarte läuft es ähnlich – hier müssen Sie Kreditkartennummer, Gültigkeitsdauer und Namen des Inhabers eintragen. Sie können sich nur für die Kreditkartenabrechnung anmelden, wenn Sie eine Visa-Card oder eine Eurocard/MasterCard besitzen. Mit *Senden* übertragen Sie Ihre Daten an eBay.

Tipps für erfolgreiche Auktionen

Erfolgreiche Verkäufer wissen: Es gibt bestimmte Strategien, um die eigene Ware erfolgreich anzupreisen und viele Gebote zu bekommen. Manchmal sind es nur Kleinigkeiten, die dazu führen, dass Sie Ihre Artikel deutlich besser verkaufen können als andere Anbieter. Und manchmal scheint die Sache ganz und gar unberechenbar zu sein: Obwohl Sie offenbar alles richtig gemacht haben, entwickelt sich ein Artikel zum Ladenhüter oder wechselt nur zum Mindestgebot den Besitzer.

Ohne Fotos geht es nicht

Wie heißt es doch so schön: Ein Bild sagt mehr als tausend Worte. Das gilt vor allem für Sie als Verkäufer, denn niemand – um noch ein Sprichwort zu bemühen – kauft gerne die Katze im Sack. Aus diesem Grund gibt es kaum noch Auktionen bei eBay, die ohne Bild daherkommen. Wollen Sie erfolgreich verkaufen, gehört ein vernünftiges Bild unbedingt zur Auktionsbeschreibung. Bei manchen Artikeln, bei denen es auf Details ankommt, sollten Sie außerdem überlegen, ob Sie die Zusatzoption der *XXL-Bilder* von eBay nutzen. Das kostet zwar

Tipps für erfolgreiche Auktionen

Extragebühren, erlaubt es potenziellen Käufern aber, ganz genau hinzusehen.

Eines sollten Sie unbedingt beachten: Verwenden Sie ausschließlich Fotos, die Sie selbst gemacht haben. Fotos aus anderen Auktionen oder von anderen Internetseiten dürfen Sie nur benutzen, wenn der Besitzer einer Nutzung zugestimmt hat. Andernfalls verstoßen Sie gegen das Urheberrecht.

Auktionen ohne Bilder und ausführliche Beschreibung findet man kaum noch. Kein Wunder, denn zum Kaufen laden solche Auktionen wirklich nicht ein.

Tipp

Wie lange soll die Auktion dauern?

Sie können selbst entscheiden, wie lange eine Auktion dauern soll: einen Tag, drei, fünf oder zehn Tage. Bevorzugt sollten Sie dabei die Möglichkeit nutzen, Auktionen zehn Tage lang laufen zu lassen. Die Chance, dass Interessenten Ihre Auktion finden, ist dabei am größten. Eine kürzere Laufzeit sollten Sie per Unterzeile bewerben: „Auktion – nur drei Tage" macht Interessenten klar, dass sie schnell sein müssen.

Die richtige Überschrift

Mit der Überschrift entscheidet sich, ob ein möglicher Käufer sich Ihre Auktion näher anschaut. Die Überschrift sollte daher möglichst prägnant sein.

- Verkaufen Sie Markenartikel, nehmen Sie deren Namen in die Überschrift auf.
- Selbst wenn dadurch der Name der Kategorie wiederholt werden sollte, können Sie auch die Bezeichnung des Artikels in der Überschrift nennen.
- Auch die Höhe des Startgebots – vor allem, wenn Sie mit 1 Euro

Eigene Artikel bei eBay verkaufen

beginnen – können Sie in die Überschrift aufnehmen.
- Sie haben für die Überschrift maximal 55 Zeichen Platz. HTML-Code, Sternchen oder Anführungszeichen sind nicht zugelassen. Verkaufen Sie zum Beispiel einen Fernseher, könnte die Überschrift lauten: „Grundig Fernseher 33 cm, fast neu ab 1 Euro". Damit ist in einer Zeile schon das Wichtigste gesagt.

Recht

Wann gilt der Artikel als verkauft?

Der Zeitpunkt des Verkaufs bei eBay wurde von der Rechtsprechung inzwischen recht genau bestimmt. Bei Angeboten mit der Sofortkaufoption kommt der Vertrag mit der Betätigung des entsprechenden Buttons zustande, bei herkömmlichen Auktionen durch das zeitliche Ende der Auktion. Ab diesem Zeitpunkt hat der Käufer einen Anspruch auf Übergabe der Ware. Falls der Verkäufer die Ware in der Zwischenzeit beschädigt hat, steht dem Käufer ein Schadenersatzanspruch zu. Dies bedeutet, dass der Verkäufer nicht nur auf beschädigter Ware sitzen bleibt, sondern vielleicht obendrein auch noch Schadenersatz zahlen muss. Es ist daher ratsam, spätestens ab diesem Zeitpunkt die Ware äußerst pfleglich zu behandeln.

Durch die Rechtsprechung noch nicht vollends geklärt ist, ob und unter welchen Voraussetzungen der Verkäufer eine laufende Auktion abbrechen kann, ohne an den dann jeweils Höchstbietenden verkaufen zu müssen. eBay bietet zwar die Option an, die Auktion zu beenden, sofern der Artikel beschädigt wurde oder nicht mehr zum Verkauf steht. Da die Rechtsfolgen dieser Möglichkeit allerdings noch nicht vollständig geklärt sind, ist es ratsam, die Ware schon bei Beginn der Auktion nicht mehr zu nutzen und sorgsam zu behandeln.

So beschreiben Sie Ihren Artikel

Die Artikelbeschreibung ist das A und O Ihrer Angebotsseite. Dort sollte alles Wichtige zu Ihrem Artikel vermerkt sein. Darüber hinaus sollten sich dort auch Angaben zu Abwicklung und Gewährleistung finden. Hier die fünf wichtigsten Regeln für eine gute Artikelbeschreibung:

- **Nicht zu viel und nicht zu wenig**
  Sie sollten die Leser nicht mit Informationen erschlagen, sie aber auch nicht mit Abkürzungen und kryptischen Beschreibungen abschrecken. Bei technischen Geräten gehören Angaben wie die genaue Modellbezeichnung und Ausstattungsdetails in die Beschreibung.

- **Bringen Sie Form und Farbe auf die Seite**
  Ein gut gestalteter Auktionstext liest sich leichter und ist über-

sichtlicher als eine formlose Auflistung der Daten aus dem Katalog.

> Technische Daten eines Geräts sind gut und wichtig, eine Textwüste kann Käufer aber auch abschrecken.

■ Nicht übertreiben

Bei der Gestaltung der Auktionsbeschreibung schießen manche Anbieter über das Ziel hinaus: Hintergrundbild, schreiende Farben, eine Hintergrundmusik und ein animierter Cursor – das sorgt für lange Ladezeiten der Seite und erschlägt den Leser eher, als dass es ihm Informationen liefert.

Recht

Darf ich Markennamen in der Auktion angeben?

Wenn Sie Markenware verkaufen und sich sicher sind, dass es sich um Originalware handelt, die innerhalb der Europäischen Union auch so vertrieben wird, dann dürfen Sie den jeweiligen klangvollen Markennamen natürlich auch zur Beschreibung des Produkts verwenden. Ein T-Shirt von Nike darf sowohl mit dem Wort als auch dem bekannten Logo beschrieben und verkauft werden.

Ansonsten heißt es: Finger weg von Markennamen! Insbesondere Vergleiche wie „riecht fast wie das Parfüm von …" oder auch „Uhr im Cartier-Stil" sind ein Steilpass für eine markenrechtliche Auseinandersetzung, die teuer und kaum zu gewinnen ist. Die Markeninhaber haben einen Anspruch darauf, dass ihr guter Name ausschließlich mit Originalprodukten in Verbindung gebracht wird.

■ Seien Sie ehrlich

Übertreiben Sie nicht, was Funktion, Alter und Macken des Geräts angeht. Seien Sie zudem vorsichtig mit den verwendeten Begrif-

Eigene Artikel bei eBay verkaufen

fen; viele Formulierungen sind äußerst dehnbar. Was etwa bedeutet „so gut wie neuwertig"? Oder was verbirgt sich hinter der Phrase „hat immer gute Dienste geleistet"? Dass es das Gerät jetzt eben nicht mehr macht?

- **Machen Sie sich schlau**
  Erkundigen Sie sich vor dem Einstellen der Auktion über die Portokosten. Sie können diese schon bei der Auktionsbeschreibung mit angeben. Der Käufer weiß dann schon vor dem Bieten, was noch an Zusatzkosten auf ihn zukommt.

So hilft der eBay Turbo Lister

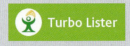

Wenn Sie viele Auktionen vorbereiten, ist es recht mühsam, jede von ihnen Schritt für Schritt auf der Internetseite von eBay einzugeben. Müssen Sie aber auch gar nicht. Schließlich gibt es den Turbo Lister, der Ihnen viel Mühe abnimmt und zudem noch Geld sparen hilft. Der Turbo Lister ist ein kostenloses Programm, mit dem Sie ganz in Ruhe und unabhängig von einer Verbindung ins Internet Ihre Auktionen vorbereiten und gestalten können. Erst wenn alles zu Ihrer Zufriedenheit vorbereitet wurde, stellen Sie eine Verbindung mit dem Internet her und übertragen die Auktionen zu eBay.

Turbo Lister laden und installieren

So geht's:

Um den Turbo Lister zu installieren und zu nutzen, gehen Sie wie folgt vor:

1. Klicken Sie in der Serviceleiste auf *Hilfe*.
2. Klicken Sie nun im linken Bereich auf *Index A-Z*, um die Gesamtübersicht über alle Themen aufzurufen. Wählen Sie den Buchstaben *T*. Sie finden dort den Eintrag *Turbo Lister*, den Sie anklicken.
3. Auf der nächsten Seite finden Sie unter anderem eine Kurzinformation zum Turbo Lister sowie einen Link, um das Programm herunterzuladen. Klicken Sie auf *Laden*, um die Homepage des Turbo Listers zu öffnen.
4. Sollten Sie die Seite nicht finden können, haben Sie die Möglichkeit, die Homepage des Turbo Listers direkt aufzurufen:

Nach der Auktion: So wickeln Sie den Verkauf professionell ab

Der Turbo Lister ist kostenlos. Sie können ihn bei eBay herunterladen oder – gegen eine Gebühr von 2,49 Euro – als CD bestellen.

5. Laden Sie das Programm herunter und speichern Sie die Datei an einer prägnanten Stelle, zum Beispiel auf dem Desktop.
6. Danach starten Sie das Installationsprogramm mit einem Doppelklick auf die heruntergeladene Datei und installieren den Turbo Lister mit Hilfe des Assistenten.
7. Anschließend können Sie das Programm starten. Sie finden es unter *Start | Alle Programme | eBay | Turbo Lister*.

Im Prinzip funktioniert das Erstellen von Auktionen mit dem Turbo Lister ganz ähnlich wie direkt auf der eBay-Seite. Allerdings müssen Sie dafür nicht die ganze Zeit mit dem Internet verbunden sein und können zudem einmal erstellte Auktionsbeschreibungen immer wieder verwenden.

Kommen Sie an einer Stelle mit dem Turbo Lister nicht weiter, rufen Sie die im Programm integrierte Hilfefunktion auf.

Nach der Auktion: So wickeln Sie den Verkauf professionell ab

Die Auktion ist gelaufen, ein Käufer gefunden. Dann geht es jetzt darum, wie Sie an Ihr Geld und an die Adresse des Käufers kommen. Letzteres geht in der Regel automatisch: Kurz nach Ende der Auktion erhalten Sie von eBay eine E-Mail. Darin sind alle wichtigen Daten zur abgeschlossenen Auktion enthalten: der erzielte Verkaufspreis, Name und Postadresse des Käufers sowie seine E-Mail-Adresse.

Info

Noch mehr Programme für eBay

Neben dem Turbo Lister existiert noch eine ganze Reihe weiterer Programme für eBay. So gibt es praktische Helferlein, die Auktionen verwalten können, beim Erstellen von Auktionsbeschreibungen helfen oder zur Analyse von Mitgliedsdaten dienen. Wenn Sie möchten, können Sie den gesamten Weg einer Auktion bis zum Zahlungseingang auf Ihrem Konto von Programmen erledigen und kontrollieren lassen.

Eigene Artikel bei eBay verkaufen

Die E-Mail von eBay enthält alle wichtigen Daten, unter anderem die E-Mail-Adresse des Käufers.

Recht

Kann ich einen Käufer zwingen, den Artikel abzunehmen?

Grundsätzlich ja. Bei eBay wird nach Ablauf der Bietfrist ein Vertrag wirksam, und die üblichen Schutzbehauptungen wie „Ich habe mich vertippt" greifen nach der Rechtsprechung in der Regel nicht.

Bin ich selber gewerblicher Anbieter und mein Käufer Privatmann, ist dieser allerdings umfangreich durch das geltende Fernabsatzrecht geschützt. Er kann sich ohne Weiteres und ohne Angabe von Gründen innerhalb von zwei beziehungsweise nach aktueller (aber umstrittener) Rechtsprechung innerhalb von vier Wochen durch Widerspruch oder Rückgabe von dem Vertrag lösen.

Andernfalls muss der Käufer die Ware zum ersteigerten Wert abkaufen und annehmen. Tut er dies nicht, kann der Verkäufer sogar Schadenersatz geltend machen. Nimmt der zweithöchste Bieter die Ware zum Beispiel nur noch zu einem um 500 Euro geringeren Kaufpreis ab, ließe sich für die entgangene Differenz im Einzelfall durchaus Schadenersatz verlangen.

Aufgrund dieser Mail können Sie sich nun mit dem Käufer in Verbindung setzen. Bei der Kontaktaufnahme sollten Sie Folgendes beachten:

- Nehmen Sie Artikelbezeichnung und Artikelnummer der abgelaufenen Auktion in die E-Mail auf. So weiß der Käufer gleich, worum es geht, und es gibt keine Missverständnisse.
- Geben Sie Ihre vollständigen Kontodaten an: Kontoinhaber, Kontonummer, Bankleitzahl und Name der Bank. Kontrollieren Sie diese Angaben genau, damit es bei der Überweisung nicht zu Problemen kommt. Bei Überweisungen von Käufern aus dem Ausland müssen Sie zudem die internationalen Kontodaten mit angeben. Sie erhalten diese von Ihrer Bank.
- Geben Sie die Höhe des Gesamtbetrags an, den der Käufer überweisen soll – also inklusive Verpackungs- und Versandkosten. Sie müssen sich dabei natürlich an die Angaben halten, die Sie auf der Seite Ihrer Auktionsbeschreibung gemacht haben.
- Eventuell bieten Sie dem Käufer an, selbst die Versandart zu wäh-

Versand optimal organisieren

len, also zum Beispiel zwischen unversichertem Päckchen und versichertem Paket zu entscheiden. Weisen Sie aber auch darauf hin, dass Sie beim Versand als unversichertes Päckchen nicht dafür aufkommen, falls die Ware unterwegs verloren gehen sollte.

- Geben Sie an, an welche Adresse Sie den Artikel schicken werden. In der Regel dürfte das die Adresse sein, die in der E-Mail von eBay als Käufer- beziehungsweise Lieferadresse angegeben ist. Wünscht der Käufer Änderungen, muss er Ihnen das natürlich mitteilen.
- Alternativ können Sie auch die Kaufabwicklung von eBay nutzen, allerdings muss der Käufer hier seinerseits aktiv werden und die Kaufabwicklung nutzen, um Ihre Kontodaten zu erfahren.

Versand optimal organisieren

Auch Verpackung und Versand der Ware wollen vernünftig durchdacht sein. Wenn das Geschäft richtig läuft, hängt Ihr Umsatz entscheidend davon ab, wie gut Sie den Versand und das ganze Drumherum organisiert haben. Die meisten Schritte – vom Einstellen der Auktionen bei eBay über die Kaufabwicklung bis zur Kontrolle, ob das Geld der Käufer Ihrem Konto gutgeschrieben wurde – lassen sich nämlich automatisieren, das Verpacken und Versenden der Ware ist hingegen zeitintensiv und aufwendig.

Wie schnell sollte die Ware verschickt werden?

Nachdem der Käufer Ihnen den fälligen Betrag überwiesen hat, sind Sie als Verkäufer am Zug: Jetzt geht es darum, dass Ihr Handelspartner die Ware bekommt. Wie schnell dies gehen muss, darüber lässt sich streiten: Als Verkäufer benötigen Sie einfach etwas Zeit, um den Versand optimal zu organisieren. Der Käufer dagegen, der den Betrag ja schon einige Tage zuvor an Sie überwiesen hat, sitzt meist auf heißen Kohlen und möchte, dass die Ware möglichst schnell bei ihm ankommt. Und auch der Paketdienst braucht ja seine Zeit – oft zwei bis drei Tage –, ehe die Ware zugestellt wird.

Ist es Ihnen wichtig, vom Käufer eine positive Bewertung zu erhalten, sollten Sie nach Zahlungseingang möglichst schnell reagieren und die Ware alsbald auf die Reise schicken. Da die Kaufabwicklung bis zum Zahlungseingang auf Ihrem Konto immer ein paar Tage dauert, können Sie sich entsprechend vorbereiten:

- Sie sollten keine Ware verkaufen, die Sie noch nicht vorrätig haben oder von der Sie gar nicht wissen, ob sie bis zum Ende der Auk-

Eigene Artikel bei eBay verkaufen

tion überhaupt aufzutreiben ist. Können Sie eine bereits verkaufte Ware nicht oder nicht innerhalb kurzer Zeit besorgen, drohen Probleme mit dem Käufer.

- Hat die Ware einen Käufer gefunden, können Sie den Versand vorbereiten, die Ware einpacken und eventuell sogar schon komplett für den Versand fertig machen. Sie muss dann nur noch dem Paketdienst oder der Spedition übergeben werden – eine schnellere Lieferung ist kaum möglich.

- Entsprechendes Verpackungsmaterial für die Ware sollten Sie möglichst immer vorrätig haben. Hier empfiehlt es sich, nicht zu geizig einzupacken. Der Artikel sollte unter normalen Umständen unbeschädigt beim Kunden ankommen. Ein Transportschaden wird zwar durch die Versicherung des Transportunternehmens gedeckt, sorgt aber schnell für Ärger mit Paketdienst und Kunden.

Tipp

eBay hilft dabei, den Versand zu organisieren.

Zusammen mit dem Transportunternehmen DHL bietet eBay einige Hilfen an, den Versand optimal zu organisieren. So können Sie berechnen, welche Versandform für Sie die günstigste ist, und Sie können sogar Briefmarken und Adressaufkleber am heimischen PC ausdrucken. Mehr Infos gibt's im eBay-Versandcenter. Sie finden es über die Hilfefunktion von eBay oder direkt unter pages.ebay.de/versandcenter.

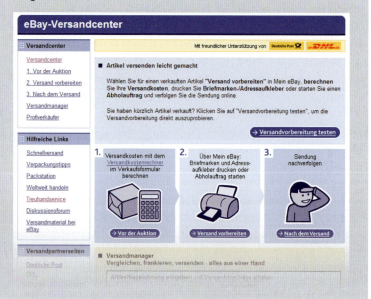

Versandweg wählen

Welchen Versandweg Sie nutzen, sollten Sie zuvor durchkalkulieren. Es gibt inzwischen in Deutschland eine Reihe von Paketdiensten, mit denen Sie Ihre Ware zum Käufer transportieren lassen können.

Platzhirsch ist DHL (www.dhl.de), früher als Deutsche Post AG bekannt. DHL hat den großen Vorteil, dass die Pakete bei Nichterreichen des Empfängers für einen gewissen Zeitraum in der jeweils nächsten Postfiliale zwischengelagert werden. Da das Netz an Postfilialen recht dicht ist, ist es für die meisten Kunden kein Problem, das Paket dort abzuholen. Die wichtigsten Alternativen zu DHL sind UPS (www.ups.de), der Hermes Versand (www.hermesversand.de), der Deutsche Paketdienst (www.dpd.de) und General Logistic Systems (www.gls-germany.com). Teilweise haben diese Unternehmen Filialen, in denen Sie Pakete abgeben können, das Filialnetz ist aber bei keinem dieser Konkurrenten so dicht wie bei DHL.

DHL ist der Platzhirsch, doch die Konkurrenz – beispielsweise der Hermes Versand – versucht, die DHL-Preise deutlich zu unterbieten.

Dafür können die alternativen Paketdienste zum Teil deutlich niedrigere Preise als DHL bieten. Teilweise bieten die Unternehmen (bei größeren Mengen) auch die Abholung der Pakete in Ihren Geschäftsräumen an – Sie sparen sich dadurch eine Menge Zeit und Arbeit. Sie müssen sich auch nicht komplett an ein Unternehmen binden, sondern können selbstverständlich mit verschiedenen Paketdiensten zusammenarbeiten – je nachdem, welcher Dienst für den jeweiligen Zweck am besten geeignet erscheint.

Was sich auf jeden Fall lohnt, ist ein Blick auf die Internetseiten der Unternehmen. Wickeln Sie die Geschäfte mit dem Paketdienst per Internet ab, gibt es zum Teil deutliche Rabatte. Manche Unternehmen stellen Ihnen zudem Software zur Verfügung, um alle Formalitäten bis hin zum Ausdruck des fertigen Paketscheins direkt am PC zu erledigen.

Für welchen Paketdienst Sie sich letztlich auch entscheiden – wichtig ist vor allem, dass Sie nach Möglichkeit einen versicherten

Eigene Artikel bei eBay verkaufen

Versand wählen, denn als Händler stehen Sie gegenüber dem Kunden in der Pflicht.

Recht

Wer haftet, wenn eine Ware nicht ankommt?

Am häufigsten ist bei eBay inzwischen der Versand eines professionellen Händlers an einen privaten Kunden. Hierbei handelt es sich um einen „Verbrauchsgüterkauf", für den besondere Regeln gelten, die den Kunden schützen sollen. Der Verkäufer haftet in diesem Fall für den Verlust der Ware, falls diese auf dem Transportweg verloren geht oder beschädigt wird. Ein gewerblicher Händler wird daher ein großes Interesse daran haben, einen versicherten Versand anzubieten, um sein eigenes Risiko durch die Transportversicherung zu minimieren.

Beim Geschäft zwischen Privatpersonen hingegen sieht es völlig anders aus. Es handelt sich hier um einen „Versendungskauf": Eigentlich müsste der Kunde die Ware abholen, sie wird nur auf seinen besonderen Wunsch hin an ihn versandt. Dies bedeutet, dass der Käufer für den Versand haftet. Der Verkäufer kann also auch unversichert versenden, wenn der Käufer dies wünscht. Hierdurch ergeben sich aber einige Beweisprobleme. Mit der Einlieferungsquittung für ein Paket kann der Verkäufer zumindest beweisen, eine Sendung an den Empfänger abgeschickt zu haben. Dies ist mit einer Quittung über ein Päckchen nicht möglich, da hier kein Empfänger aufgeführt ist. Auch der private Verkäufer ist daher gut beraten, die Ware versichert zu verschicken.

So reagieren Sie auf Probleme mit Käufern

Fast immer – aber eben auch nur fast immer – läuft bei eBay alles glatt. Manchmal passiert es eben doch, dass Sie trotz eines Käufers auf Ihrer Ware sitzen bleiben. Keine Antwort auf Rückfragen, kein Geld – Sie haben einige Möglichkeiten, sich in solchen Fällen zur Wehr zu setzen.

Käufer anmahnen

Mit dem erfolgreichen Ende einer Auktion kommt zwischen Ihnen und dem Käufer ein rechtsgültiger Kaufvertrag zustande. Der Käufer ist also verpflichtet, die Ware zu den vereinbarten Bedingungen abzunehmen. Sie sind gleichzeitig verpflichtet, den Artikel wie beschrieben und zum vereinbarten Preis an den Käufer zu senden. Eigentlich – so steht es in den eBay-Richtlinien – sollten Käufer und Verkäufer innerhalb von drei Werktagen miteinander in Kontakt treten. Während Ferienzeiten sollten Sie dem Käufer eventuell eine etwas längere Frist einräumen. Zudem sollten Sie nicht auf eine E-Mail des Käufers warten, sondern innerhalb der drei Werktage selbst eine Nachricht an den Käufer senden oder die Kaufabwicklung von eBay nutzen.

So reagieren Sie auf Probleme mit Käufern

Reagiert der Käufer nicht, haben Sie die Möglichkeit, ihn anzumahnen: Senden Sie eine E-Mail an den Käufer und fordern Sie ihn erneut zur Zahlung des Kaufpreises auf. Setzen Sie dafür eine angemessene Frist (zum Beispiel eine Woche) und fordern Sie eine Rückmeldung.

Zahlungsaufforderung schicken

Die nächste Möglichkeit ist, den Käufer mit Hilfe von eBay anzumahnen. Senden Sie ihm eine Zahlungserinnerung. Das ist frühestens drei Tage nach Ablauf der Auktion, spätestens jedoch 30 Tage nach Angebotsende möglich. Der Vorteil, wenn Sie auf diese Weise abmahnen: Auch eBay hat Kenntnis von dem Streitfall und kann dem unzuverlässigen Käufer Konsequenzen bis zur Sperrung seines Accounts androhen – das wirkt meist Wunder.

So geht's:

Um dem Käufer eine Erinnerungs-Mail zu senden, gehen Sie folgendermaßen vor:

1. Rufen Sie *Mein eBay* auf und wählen Sie dort den Bereich *Artikel verkaufen | Verkauft*.
2. Sie haben nun eine Liste mit allen verkaufen Artikeln vor sich. Sie finden in jeder Zeile mehrere Symbole, eines davon dient dem Versand einer Erinnerungs-Mail an den Käufer. Klicken Sie darauf, um die entsprechende E-Mail zu versenden.

Per eBay können Sie einen Käufer anmahnen und an einen nicht bezahlten Artikel erinnern.

Und wie geht es weiter?

Hat auch die Zahlungsaufforderung per eBay keinen Erfolg, wird es sich in vielen Fällen (zumal, wenn es nur um einen geringen Betrag geht) nicht lohnen, die Sache weiterzuverfolgen. Was Sie noch machen können: einem eventuellen Zweitbieter ein Angebot machen, eine Negativbewertung vergeben und eine Gebührenerstattung bei eBay beantragen. Entsteht Ihnen durch die Nichtabnahme des Arti-

Eigene Artikel bei eBay verkaufen

kels jedoch erheblicher finanzieller Schaden, können Sie noch weitere Geschütze auffahren:

- In der E-Mail von eBay steht in der Regel die Postadresse des Käufers. Überprüfen Sie diese, zum Beispiel über die Internetseite www.telefonbuch.de.
- Rufen Sie den Käufer an und versuchen Sie eine Klärung. Oder schicken Sie ihm einen Brief – am besten per Einschreiben – und machen Sie klar, dass Sie auf Einhaltung des Kaufvertrags bestehen und auch bereit sind, einen Anwalt einzuschalten. Häufig wirkt das Wunder, da „Spaßbieter" nun erkennen müssen, dass die Sache kein Spaß mehr ist.
- Klappt es auch dann noch nicht, schalten Sie einen Rechtsanwalt ein und versuchen Sie, Ihre Forderung auf diese Weise durchzusetzen. Das lohnt sich jedoch wirklich nur, wenn es um höhere Beträge geht. Die Gefahr, dass Sie am Ende auf Ihrem Artikel und den Kosten für den Rechtsanwalt sitzen bleiben, ist nicht gerade gering. Zudem ziehen sich solche Verfahren immer über eine Weile hin – in dieser Zeit haben Sie den Artikel vielleicht schon an einen echten Interessenten verkauft.

Info

Gebühren erstatten lassen

Nimmt der Käufer eine Ware am Ende dann doch nicht ab – aus welchen Gründen auch immer –, lässt eBay mit sich reden und erstattet Ihnen unter bestimmten Umständen die Gebühren. Auch das ist vor allem bei Hochpreisartikeln wichtig, denn hier fällt ja auch die Verkaufsprovision erheblich ins Gewicht. Für die Erstattung von Gebühren müssen bestimmte Auflagen und Fristen eingehalten werden. Mehr Informationen dazu sowie ein Formular, um einen Antrag auf Gebührenerstattung zu stellen, finden Sie im Hilfesystem von eBay. Damit Ihnen der gleiche Bieter nicht zweimal eine Auktion verdirbt, können Sie ihn danach übrigens für Ihre künftigen Auktionen von eBay sperren lassen. Auch dazu gibt es im Hilfesystem von eBay entsprechende Formulare.

Angebot an Zweitbieter

Hat der Höchstbietende einer Auktion den Artikel nicht abgenommen, können Sie – falls vorhanden – eBay-Mitgliedern mit niedrigeren Geboten anbieten, den Artikel zu kaufen. Dann allerdings nur zum Höchstpreis, den dieser Bieter eingegeben hat. Sie können dem Zweitbieter das Angebot kurz nach Ende der Auktion unterbreiten, jedoch nur bis spätestens zum 60. Tag nach Ende der Auktion. Das eBay-Mitglied erhält von eBay eine E-Mail und kann Ihren Artikel dann per *Sofort Kaufen* erwerben. Es ist aber natürlich nicht verpflichtet, auf das

So reagieren Sie auf Probleme mit Käufern

Angebot einzugehen. Angebote an Zweitbieter können Sie über *Mein eBay* stellen: Im Bereich *Verkaufen* weist eBay Sie gegebenenfalls auf die Möglichkeit hin.

Sie können einem eBay-Mitglied, das mitgeboten hat, ein Kaufangebot machen. Sinnvoll ist es natürlich, den Bieter zu wählen, der den zweithöchsten Betrag geboten hat.

Lohnt sich der Verkauf woanders?

Für manche Waren wird es immer schwieriger, bei eBay einen vernünftigen Preis zu erzielen. Bücher, Geschirr oder gebrauchte Möbel gehören dazu. Wenn sich die Sachen überhaupt noch verkaufen lassen, gehen sie oft deutlich unter Wert weg, teilweise für nur wenige Euro. Auch wenn Sie nicht darauf angewiesen sind, vom Verkauf Ihrer Gebrauchtwaren zu leben, ist es doch ärgerlich: Wer eBay-Gebühren und die Arbeit für das Erstellen der Auktion und die Verkaufsabwicklung in Rechnung stellt, kommt schnell zu dem Schluss, dass Wegwerfen einfach günstiger ist.

Alternative: Sie schauen sich nach anderen Verkaufsportalen um. Bücher zum Beispiel lassen sich per Internet tauschen – www.buchticket.de bietet ein entsprechendes Angebot. Mehr Informationen über eBay-Alternativen finden Sie im Kapitel *Alternativen zu eBay: Dienstleistungsauktionen, Leihen, Tauschen und Co.* (→ Seite 125).

Vielleicht kommt aber noch eine andere Alternative für Sie infrage: Die lokalen Kleinanzeigenblätter, die in den 1980er und 1990er Jahren einen regelrechten Boom erlebt haben, stehen derzeit wieder vor einer Renaissance. Nicht nur, dass manche den seinerzeit verpassten Start ins Internet nachgeholt haben; viele Verkäufer haben auch erkannt, dass die lokalen Anzeigenblätter eine gute Verkaufsmöglichkeit vor allem für sperrige Waren sind. Rasenmäher, Zementmischmaschine und Co. lassen sich nur äußerst schlecht verschicken – Aufwand und Preis sind vielen Käufern zudem zu groß. Da können sie die Waren auch gleich auf einem lokalen Marktplatz anbieten, der ebenfalls Aussicht auf Erfolg bietet.

Kapitel 7
Verkaufen als Profi

Verkaufen als Profi: So werden Sie PowerSeller

Für manche ist eBay inzwischen deutlich mehr als ein Freizeitvergnügen. Es gibt eine ganze Reihe von eBay-Mitgliedern, die das Auktionshaus dazu nutzen, sich ihr Einkommen aufzubessern, oder die sogar komplett davon leben. Vor einigen Jahren wäre das noch undenkbar gewesen – dass es inzwischen funktioniert, zeigt deutlich, wie beliebt eBay ist.

Vielleicht haben auch Sie ja mittlerweile Lust bekommen, bereits eine ganze Reihe Auktionen erfolgreich durchgeführt oder sogar schon eine Geschäftsidee entwickelt, von der Sie überzeugt sind, dass sie mit Hilfe von eBay funktionieren wird. Dann gibt es nur eins: Loslegen. Und mit etwas Glück sind Sie schon bald PowerSeller bei eBay.

So werden Sie zum PowerSeller

PowerSeller, das sind nach Darstellung von eBay erfahrene und mustergültige Verkäufer, bei denen Käufer sicher sein sollen, dass Transaktionen von ihnen schnell und problemlos abgewickelt werden. PowerSeller zu sein, ist also in gewisser Weise eine Auszeichnung. Und aus diesem Grunde können Sie sich auch nicht selbst zum PowerSeller erklären, sondern werden von eBay dazu gemacht: Erfüllen Sie bestimmte Kriterien, erhalten Sie vom Handelshaus eine Einladung, sich als PowerSeller zu registrieren.

Wer PowerSeller werden will, muss bestimmte Kriterien erfüllen. eBay schickt dann eine Einladung, mit der man sich als PowerSeller registrieren kann.

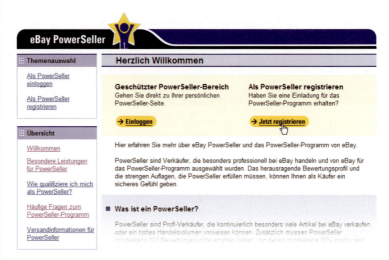

So werden Sie zum PowerSeller

Recht

Ab wann gelte ich als Profiverkäufer?

Die Unterscheidung zwischen einer Privatperson, die lediglich ihren Keller ausräumt und nur von Zeit zu Zeit gebrauchte Artikel verkauft, und einem gewerblichen Unternehmer, der den Handel als Beruf betreibt, ist bei eBay von maßgeblicher Bedeutung. Den gewerblichen Verkäufer treffen zahlreiche zusätzliche Pflichten, insbesondere wenn es um die Belehrung der potenziellen Käufer über ihre Widerrufs- und Rückgaberechte geht.

Der Übergang zwischen Privatverkäufer und gewerblichem Anbieter ist gerade bei eBay absolut fließend, eine klare Trennlinie gibt es (noch) nicht. Sicher ist derjenige, der nur wenige Artikel im Jahr verkauft und dabei offenbar nur eigene und auch überwiegend gebrauchte Dinge versteigert oder ersteigert, als Privatanbieter zu sehen. Auf der anderen Seite handelt ein PowerSeller mit vielen Tausend Bewertungen vergleichsweise eindeutig gewerblich und nicht zuletzt, um seinen Lebensunterhalt hiervon zu bestreiten oder zumindest aufzubessern.

Zwischen diesen beiden klaren Fällen helfen nur Indizien zur Unterscheidung. Hierbei spielt die Anzahl der Bewertungen eine ebenso große Rolle wie das konkrete Produktangebot. Bietet jemand zum Beispiel ein bestimmtes Produkt in verschiedenen Größen und Farben sehr zahlreich an, spricht einiges dafür, dass er gewerblichen Handel betreibt. Gleiches gilt, wenn er zwar nur wenige Produkte, diese aber besonders hochpreisig versteigert, zum Beispiel teure Luxusuhren oder Kraftfahrzeuge.

Wie bei Einladungen üblich, kann man diese annehmen, aber auch ebenso gut ablehnen. Es besteht keine Pflicht, dass Sie PowerSeller werden müssen. Um aber eine solche Einladung von eBay zu erhalten, müssen Sie folgende Kriterien erfüllen:

- Sie haben mindestens 100 Bewertungen, davon mindestens 98 Prozent positive.
- In den letzten drei Monaten haben Sie im Durchschnitt mindestens vier Artikel erfolgreich verkauft.
- Sie begleichen eBay-Gebühren per Lastschrift oder Kreditkarte.
- Sie sind seit mindestens 90 Tagen bei eBay.de, eBay.ch oder eBay.at registriert und haben Ihren Wohnsitz in Deutschland, Österreich oder der Schweiz.
- Sie akzeptieren und befolgen die eBay-Grundsätze und die Allgemeinen Geschäftsbedingungen für PowerSeller.

Wenn Sie diese Kriterien erfüllen, erhalten Sie automatisch von eBay eine Einladung, PowerSeller zu werden. Sie können sich dann für das Programm anmelden. Falls Sie die Kriterien in einem Monat mal nicht erfüllen (zum Beispiel weil Sie weniger Umsatz machen als für Power-

Verkaufen als Profi

Seller erforderlich), bekommen Sie noch einen Monat Frist. Sollten Sie die Kriterien dann erneut verfehlen, endet die Mitgliedschaft automatisch.

Info

Verschiedene Stufen von PowerSellern

Auch innerhalb der exklusiven Gruppe der PowerSeller gibt es noch Unterschiede. eBay vergibt einen Status an jeden PowerSeller: Die niedrigste Stufe ist Bronze, dann folgen Silber, Gold und – als höchste Stufe – Platin.

Abhängig ist die Stufe vom durchschnittlichen Handelsvolumen der letzten drei Monate. Wer Platin-Status erreichen will, muss beispielsweise innerhalb der letzten drei Monate 5 000 Artikel verkauft haben oder mindestens 150 000 Euro Umsatz erzielt haben. Den Bronze-Status gibt es dagegen mit 300 verkauften Artikeln oder 3 000 Euro Mindestumsatz.

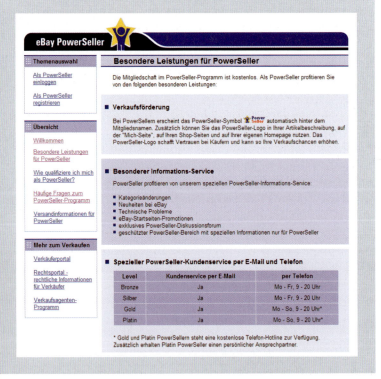

PowerSeller sind für eBay wichtig, denn durch sie nimmt das Auktionshaus viele Gebühren ein.

Als PowerSeller genießen Sie bei eBay einen herausgehobenen Rang. Sie gelten als zuverlässig und erfahren – als jemand, mit dem sich gut Geschäfte machen lässt. PowerSeller zu sein, ist übrigens kostenlos: eBay kassiert dafür keine Extragebühren, bietet aber einige zusätzliche Dienste an:

- Hinter Ihrem Mitgliedsnamen steht automatisch das PowerSeller-Symbol. Interessenten können so mit einem Blick erkennen, dass Sie PowerSeller sind.
- Sie erhalten eine persönliche PowerSeller-Seite und bekommen zusätzliche Informationen, zum Beispiel über Neuheiten oder Änderungen von Kategorien.
- Sie können am PowerSeller-Diskussionsforum teilnehmen.
- Sie erhalten persönliche Unterstützung durch eBay – sowohl per E-Mail als auch telefonisch.

Die richtige Verkaufsstrategie

Geht es um die Frage nach der richtigen Geschäftsstrategie, sind im Wesentlichen drei Modelle in Erwägung zu ziehen. Eines vorab: Sie werden in jedem Bereich auf zahlreiche Konkurrenten treffen. Und dann – das ist die Krux bei eBay – geht es hauptsächlich darum, wer den niedrigsten Preis bietet.

Service wird dagegen kaum honoriert. Die meisten Bieter achten allerdings auf das Bewertungsprofil. Ist das zu schlecht (zum Beispiel, weil der Service nicht stimmt), kann auch der niedrigste Preis nicht helfen.

Strategie 1: Meine eigene Fachecke

eBay ist für viele Menschen auch deshalb interessant, weil es eine riesige Auswahl und direkte Preisvergleiche ermöglicht – und das, ohne auch nur einen Schritt aus dem Haus machen zu müssen. Bestimmte Waren zum Beispiel sind in der Stadt deutlich leichter zu bekommen als in ländlichen Regionen, in denen es weniger Fachgeschäfte gibt: Elektronikersatzteile, Gartenzubehör, Kostüme und Karnevalsartikel – um nur einige Beispiele zu nennen. eBay bietet in all diesen Bereichen eine große Auswahl – und der Versand ist selbstredend auch ins hinterletzte Dorf möglich. Für Käufer dort sind die Portokosten damit in der Regel immer noch günstiger, als selbst in die Stadt zu fahren und nach einem günstigen Fachgeschäft zu suchen.

Sie können das ausnutzen, indem Sie sich bei Ihrem Handel bei eBay auf solche Fachartikel konzentrieren. Gut funktionieren kann das vor allem dann, wenn Sie sowieso schon ein Fachgeschäft besitzen. Mit eBay können Sie Ihr Absatzgebiet praktisch auf ganz Deutschland ausdehnen.

Verkaufen als Profi

Räucherstäbchen bis zum Abwinken – warum eigentlich nicht, wenn diese sich bei eBay gut verkaufen lassen?

Strategie 2: Verkaufen, was gerade gut läuft

Es gibt immer wieder Modeartikel, die in einer Saison plötzlich aufkommen und dann massenhaft gekauft werden. Bei Sportgeräten ist das zum Beispiel gut zu beobachten: Mal waren es Fitnessgürtel, die per Elektroschock für straffe Muskeln sorgen sollen, mal waren kleine Tretroller schwer angesagt. Haben Sie den richtigen Riecher und gute Bezugsquellen, dann lässt sich mit den aktuellen Trendartikeln so mancher schnelle Euro verdienen. Bis die Artikel im letzten Dorfgeschäft angekommen sind, können Sie sie schon reichlich per eBay verkauft haben.

Tipp

Am besten erst mal schlaumachen

Mit welcher Strategie Sie arbeiten wollen, hängt vor allem von Ihren Möglichkeiten ab. Haben Sie eine günstige Bezugsquelle für Digitalkameras, versuchen Sie, diese bei eBay abzusetzen. Allerdings empfiehlt es sich, vorher die Konkurrenz ein wenig zu beobachten und zu schauen, wie viele Anbieter sich in Ihrem Wunschbereich tummeln.

Bei den Digitalkameras werden Sie sehen, dass hier enorm viel los ist. Da müssen Sie schon mit einem guten Preis kontern können, um mitzuhalten. Zudem müssen Sie wahrscheinlich mit Extrakosten rechnen – nur wenn Sie Ihr Angebot (gegen zusätzliche eBay-Gebühr) zum Top-Angebot machen oder mit anderen (ebenfalls kostenpflichtigen) Zusatzoptionen aufpeppen, ist die Chance vorhanden, in der Masse der Angebote nicht unterzugehen.

Der Nachteil: Liegen Sie mit Ihrer Trendeinschätzung daneben, oder wechselt die Mode, bevor Sie reagieren können, kann das Ganze ein riesiger Flop werden. Denn spätestens, wenn genügend andere eBay-Händler nachgezogen haben, gehen die Preise schnell in den Keller.

Strategie 3: Billiges von der Resterampe

Auch eine Methode, um Geld zu verdienen: Haben Sie die entsprechenden Quellen, spezialisieren Sie sich auf Restposten und Schnäppchenware. Ob vom Lkw gefallen, mit leichten Mängeln behaftet oder Garantie-Rückläufer: Es gibt reichlich Waren, die sich nicht mehr im regulären Handel verkaufen lassen – bei eBay findet sich da meist noch ein Käufer.

Wichtig ist hierbei allerdings, dass Sie ehrlich sind und Macken, Schrammen, Probleme und Defekte der Produkte beim Namen nennen. Verkaufen Sie die Artikel als Neuware, müssen Sie auch eine entsprechende Garantie geben. Können Sie das nicht garantieren, sind Ruf und Bewertungsprofil schnell im roten Bereich.

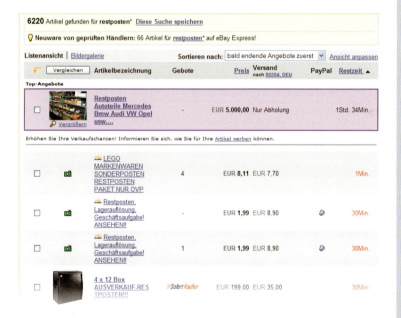

Restposten werden reichlich bei eBay angeboten, sind dafür aber auch bei vielen Kunden beliebt.

Diese Pflichten haben Sie als Profihändler

Ob Sie als Privatperson oder als Händler Waren verkaufen, ist ein großer Unterschied. Denn wenn Sie Ihren Lebensunterhalt durch den Verkauf verdienen, dann sind Sie Gewerbetreibender und unterliegen

Verkaufen als Profi

damit – wenn Sie bestimmte Umsatzgrenzen überschreiten – gewissen Regeln und Gesetzen.

Gewerbeanmeldung

Betreiben Sie ein Gewerbe, sind Sie gewerbesteuerpflichtig. Sie müssen Ihr Gewerbe in der Regel beim Gewerbeamt oder dem Amt für öffentliche Ordnung der Stadt oder Gemeinde anmelden, die Ihr Betriebsort ist.

Grundsätzlich besteht in Deutschland Gewerbefreiheit, sodass Sie zur Aufnahme einer selbstständigen gewerblichen Tätigkeit diese lediglich anzeigen beziehungsweise anmelden müssen. Sie sollten sich hier aber in jedem Fall fachlichen Rat holen, zum Beispiel durch einen Steuerberater. Er kann Ihnen auch sagen, welche weiteren Kosten und Steuern mit der Gewerbeanmeldung auf Sie zukommen.

Als gewerblicher Händler müssen Sie auch die Art Ihres eBay-Kontos umstellen. Das geht über *Mein eBay | Einstellungen | Anmeldedaten | Mitgliedskonto-Typ ändern*.

Umsatzsteuer und Rechnungstellung

Als Händler sind Sie automatisch umsatzsteuerpflichtig. Das bedeutet, dass Sie die Mehrwertsteuer, die in allen Waren enthalten ist (in der Regel derzeit 19 Prozent), an das Finanzamt abführen müssen.

Bei Rechnungen, die Sie bezahlen (zum Beispiel bei Warenlieferung an Sie), können Sie zugleich aber auch die Mehrwertsteuer gegenüber dem Finanzamt geltend machen. Das gilt zum Beispiel für die Rechnungen von eBay – in den eBay-Gebühren ist inzwischen Mehrwertsteuer enthalten. Entscheidend ist, dass Sie regelmäßig gegenüber dem Finanzamt eine Umsatzsteuervoranmeldung abgeben müssen – je nach Umsatz einmal im Jahr, alle drei Monate oder sogar jeden Monat.

Sie können damit aber gleichzeitig auch Rechnungen mit ausgewiesener Mehrwertsteuer ausstellen. Wichtig ist das vor allem, wenn Sie Firmen als Kunden gewinnen wollen, da diese in der Regel auf einer solchen Rechnung bestehen.

Recht

Was droht mir, wenn ich mich nicht korrekt als Profihändler zu erkennen gebe?

Grundsätzlich gilt: Es bringt überhaupt nichts, einen gewerblichen Verkauf als angebliche Privatauktion einzustellen. Entscheidend sind bestimmte Kriterien – *Ab wann gelte ich als Profiverkäufer?* (→ Seite 115) – und nicht die Frage, wie der Verkäufer seine Auktion nennt. Versucht ein gewerblicher Anbieter zu verschleiern, dass er Unternehmer ist, geht er mehrere unnötige Risiken ein. Zum einen bringt die Bezeichnung als Privatauktion nichts, da der Verkauf und die Auktion weiterhin gewerblich bleiben. Belehrt der Unternehmer den Verbraucher nicht über dessen Rechte, gibt kein ordentliches Impressum an und hält sich nicht an sonstige Belehrungspflichten wie zum Beispiel die Preisangabenverordnung, riskiert er, von einem unmittelbaren Wettbewerber auf Unterlassung in Anspruch genommen zu werden. Das kann im Einzelfall ganz schön teuer werden.

Darüber hinaus beginnen zum Beispiel die Widerrufs- und Rückgaberechtsfristen der Käufer erst mit hinreichender Belehrung. Klärt der Verkäufer nicht auf, weil er behauptet, Privatmann zu sein, ist ein Widerruf über ein Geschäft ohne Weiteres auch nach einem halben oder dreiviertel Jahr ohne Angabe von Gründen möglich. Insbesondere mit dem Finanzamt ist nicht zu spaßen. Erwirtschaftete gewerbliche Gewinne sind einkommensteuer- und umsatzsteuerpflichtig. Wer es hier nicht so genau nimmt, riskiert schwere Bußgelder und macht sich strafbar.

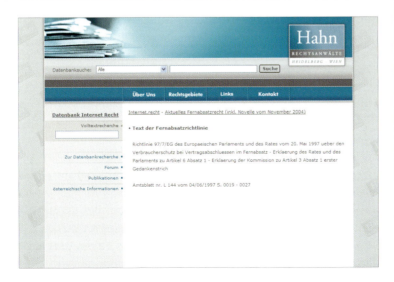

Die gesetzlichen Regelungen für den Fernabsatz von Waren sind gerade für Anfänger nicht leicht zu durchschauen. Die Seite www.fernabsatzgesetz.de gibt Hilfestellung.

Verkaufen als Profi

Garantie und Gewährleistung

Als gewerblicher Händler müssen Sie sich an die Regelungen für den Fernabsatz halten, die inzwischen in das Bürgerliche Gesetzbuch (BGB) aufgenommen wurden. Das bedeutet, dass Sie in der Regel auch eine Rückgabefrist und Garantie auf Ihre Waren gewähren müssen. Nähere Informationen zu den einzelnen Regelungen erhalten Sie unter anderem auf der Internetseite www.fernabsatzgesetz.de.

Software und Internetseiten für Profiverkäufer

Es gibt inzwischen eine Reihe von Internetseiten und Softwareangeboten, die sich rund um eBay platziert haben. Die meisten davon sind vor allem für Profis interessant, denn sie ermöglichen ein besonders schnelles Erstellen neuer Auktionen oder die Analyse bisheriger Verkäufe. Hier eine Auswahl von Angeboten:

Verkaufsmanager/Verkaufsmanager Pro

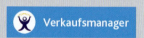

Hierbei handelt es sich um ein Angebot von eBay selbst. Der Verkaufsmanager soll Ihnen helfen, den Verkauf schneller und effizienter zu gestalten. eBay kassiert dafür aber auch zusätzliche Gebühren: 4,99 Euro pro Monat für den Verkaufsmanager beziehungsweise 9,99 Euro monatlich für den Verkaufsmanager Pro. Informationen zu den beiden Angeboten finden Sie im Hilfesystem von eBay.

Bildermanager

Auch dieses Angebot stammt von eBay selbst. Der Bildermanager hilft Ihnen bei der Verwaltung von Auktionsfotos. Die Bilder lassen sich leichter bearbeiten und beispielsweise mit einem Wasserzeichen versehen – so schützen Sie sich gegen Diebstahl Ihrer Bilder. Allerdings ist auch dieses Angebot kostenpflichtig: eBay kassiert dafür mindestens 4,99 Euro pro Monat.

Verkaufsberichte/Verkaufsberichte plus

Auf Wunsch liefert eBay Ihnen genaue Zahlen und Daten zu Ihren Auktionen. Sie können so zum Beispiel viel besser abschätzen, wie hoch die Zahl der erfolgreich beendeten Auktionen ist und welche Angebote am besten laufen. Die einfache Version der Verkaufsberichte stellt eBay Ihnen kostenlos zur Verfügung, die Plus-Version kostet 2,99 Euro pro Monat. Besitzer eines eBay Shops können aber auch diese kostenlos nutzen.

Marktanalyse

Auf Wunsch (und gegen Gebühr) erstellt eBay für Sie eine Marktanalyse, die Ihnen helfen soll, Ihr Angebot optimal auf aktuelle Trends und Entwicklungen einzustellen. So erfahren Sie beispielsweise, wonach im eBay-System am häufigsten gesucht wird, und bekommen Diagramme über Kauf- und Verkauftrends bei eBay.

Afterbuy

Afterbuy (www.afterbuy.de) ist ein von eBay unabhängiges Unternehmen, das Ihnen eine alternative Kaufabwicklung anbietet. Sie können mit der kostenpflichtigen Software Artikel bei eBay einstellen und den Verkauf vollautomatisch abwickeln – erst mit Zahlungseingang beginnt für Sie die eigentliche Arbeit mit dem Verpacken und Verschicken der Waren.

Bettercom

Auch bei Bettercom (www.bettercom.de) handelt es sich um ein von eBay unabhängiges Unternehmen, das zahlreiche Werkzeuge rund um das Auktionshaus zur Verfügung stellt. So können Sie zum Beispiel erfahren, welcher Verkäufer derzeit bei eBay besonders erfolgreich ist oder wer die meisten zurückgenommenen Bewertungen hat. Interessant auch die Funktion des Bewertungschecks: Damit lassen sich nach Eingabe eines eBay-Namens neutrale und negative Bewertungen herausfiltern und gezielt anzeigen.

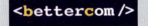

Verkaufen als Profi

Fruehrentner.de

Sie finden auf www.fruehrentner.de eine umfangreiche Liste mit anderen Internetseiten oder Programmen, die sich mit eBay oder speziellen Bereichen des Auktionshauses beschäftigen.

AGB-Giftküche

Vor allem Profihändler bei eBay müssen aufpassen, dass sie alles richtig machen und alle gesetzlichen Bestimmungen einhalten. Wer das nicht tut, läuft Gefahr, sich eine kostenpflichtige Abmahnung einzuhandeln. Die AGB-Giftküche (www.agb-giftkueche.de) hilft Ihnen, alle Angebote so zu formulieren, dass es erst gar nicht so weit kommen kann.

Manche gesetzliche Regelungen sind für Anfänger schwer zu verstehen – die AGB-Giftküche hilft, typische Anfängerfehler zu vermeiden.

Wortfilter.de

www.wortfilter.de ist eine interessante Seite mit vielen Meldungen und Artikeln rund um eBay. Besonders witzig ist die Rubrik *Kuriose Auktionen*. Die Seite bietet aber auch viel Nützliches und Informatives, zum Beispiel wird regelmäßig auf Sonderaktionen hingewiesen, mit denen sich Einstellgebühren sparen lassen.

Kapitel 8
Alternativen zu eBay

Alternativen zu eBay: Dienstleistungsauktionen, Leihen, Tauschen und Co.

In Sachen Onlineauktionen ist eBay Weltmarktführer – und wird es wohl auch auf absehbare Zeit noch bleiben. Nach eigenen Angaben hat eBay weltweit rund 200 Millionen Mitglieder – eine Zahl, die Konkurrenten nicht so schnell werden erreichen können. Allerdings gibt es inzwischen auch viel Kritik an eBay. Händler bemängeln vor allem die Höhe der Gebühren: In den vergangenen Jahren sind insbesondere die Verkaufsprovisionen kräftig gestiegen, zudem hat eBay viele kostenpflichtige Sonderaktionen und -optionen eingeführt. Um in der Masse der Angebote überhaupt noch wahrgenommen zu werden, sind Händler teilweise schon fast gezwungen, diese Optionen zu nutzen – was die Gebühren und damit letztlich den Preis der Ware weiter in die Höhe treibt.

Viele, die eBay von Anfang an genutzt haben, beklagen sich zudem, dass der Flohmarktcharakter des Marktplatzes mehr und mehr verschwindet: Immer mehr Händler bieten ihre Waren an, viele Privatnutzer haben sich als Verkäufer dagegen frustriert zurückgezogen – beispielsweise, weil sich manche Gebrauchtartikel kaum noch zu einem vernünftigen Preis verkaufen lassen.

Viele schauen sich daher inzwischen nach alternativen Anbietern und neuen Ideen um – und werden durchaus fündig: Es gibt mittlerweile im Internet eine Reihe von Seiten, die eBay zwar nicht unbedingt das Wasser reichen können, aber mit einer interessanten Idee daherkommen und viel Potenzial für die Zukunft versprechen. Auf den folgenden Seiten wollen wir Ihnen einige dieser Angebote vorstellen.

Das sind die direkten eBay-Konkurrenten

Am schwersten haben es die direkten Konkurrenten von eBay: Gegen den Platzhirsch anzutreten, ist eben nicht so einfach, denn die Größe, die eBay erreicht hat, lässt sich nicht mal so eben herbeizaubern. eBay hat in seinen Anfangsjahren sicherlich vieles richtig gemacht, allerdings war auch ein wenig Glück im Spiel. Viele Käufer bekommt man nur, wenn es viel zu kaufen gibt. Für Händler allerdings ist ein Marktplatz nur dann interessant, wenn sie viele Interessenten dort finden und einen guten Preis für ihre Ware erzielen können – hier beißt sich also die Katze in den Schwanz. eBay ist im Laufe der Jahre Schritt für

Das sind die direkten eBay-Konkurrenten

Schritt gewachsen – ein Wachstum, das sich nicht so einfach nachholen lässt.

> **Tipp**
>
> **Lieber zum Festpreis kaufen?**
>
> Wenn Sie gebrauchte Waren nicht ausschließlich ersteigern wollen, sondern auch bereit sind, zum Festpreis zu kaufen, gibt es noch weitere Alternativen. Vor allem die als Onlinebuchhändler bekannt gewordene Seite www.amazon.de hat inzwischen ein großes Angebot an Gebrauchtwaren. Händler können sich dort anmelden und ihre eigenen Artikel anbieten.

Als eBay-Alternative am ehesten punkten kann noch www.hood.de. Das Auktionshaus nimmt keinerlei Gebühren und hat auf diese Weise inzwischen eine ganze Reihe von Mitgliedern gewinnen können. Auch die Zahl der jeweils angebotenen Artikel ist deutlich gestiegen, bleibt jedoch noch immer weit hinter dem zurück, was eBay zu bieten hat.

www.hood.de ist einer der erfolgreichsten eBay-Konkurrenten – vor allem, weil das Auktionshaus keine Gebühren nimmt.

Mit diesem Problem haben auch Anbieter wie www.atrada.de und www.auxion.de zu kämpfen. Hier gibt es teilweise neue und gute Ideen für die Gestaltung eines Online-Auktionshauses, aber es fehlen eben noch Käufer und Verkäufer, die dieses Haus bevölkern wollen.

Daneben gibt es noch Dutzende weiterer Online-Auktionshäuser, die im Grunde alle sehr ähnlich funktionieren wie eBay, teilweise aber auch einen etwas anderen Ansatz versuchen, indem sie sich zum Beispiel gezielt an bestimmte Käufergruppen wenden. Wenn Sie einen Überblick über die Fülle des Angebots bekommen möchten,

Alternativen zu eBay

werfen Sie einmal einen Blick auf die Seite www.auktionssuche.de. Im Bereich *Verzeichnis* sind sehr viele Anbieter von Onlineauktionen aufgeführt.

Schon interessant, was es alles an Auktionshäusern gibt – teilweise finden sich aber kaum Angebote dort.

Billiger Schritt für Schritt: Countdown-Auktionen

Sie sind zwar auch eBay-Konkurrenten, versuchen es aber mit einem etwas anderen Schwerpunkt: Seiten wie www.azubo.de und www.luupo.de ermöglichen sogenannte Countdown- oder Rückwärtsauktionen. Das Prinzip ist recht einfach: Der Verkäufer bietet seine Ware zunächst zum Höchstpreis an. Dieser Preis fällt dann in regelmäßigen Abständen – so lange, bis sich schließlich ein Käufer findet, der zum aktuellen Preis zugreift.

Countdown-Auktionen funktionieren etwas anders – www.azubo.de hält daher für jeden Neuling eine Kurzanleitung bereit.

Dienstleistungsauktionen

Eine interessante Variante von Onlineauktionen, allerdings eine, die nicht jedem liegt: Wer zu früh die Nerven verliert, zahlt unter Umständen einen deutlich überteuerten Preis. Rückwärtsauktionen kommen damit eher den Verkäufern zugute, die bei dieser Art von Auktion eher darauf hoffen können, den für sie optimalen Preis zu erzielen.

Viele der Seiten, die Countdown-Auktionen anbieten, wissen um die Zurückhaltung von Käufern und ermöglichen daher alternativ auch den Kauf zum Festpreis – das ist allerdings ein Angebot, mit dem auch eBay inzwischen einen großen Teil seines Umsatzes macht.

Von der TV-Reparatur bis zur Komplettrenovierung: Dienstleistungsauktionen

eBay konzentriert sich voll und ganz auf den Handel mit Waren – Dienstleistungen lässt das Auktionshaus dagegen außen vor. Dabei ist auch das ein riesiger Markt: Ob man jemanden braucht, der den Fernseher repariert, den Rasen schneidet oder die Heizungsanlage wartet – fast jeder benötigt irgendwann einmal einen dienstbaren Geist. Warum dann danach suchen, wenn es auch umgekehrt geht? Das Prinzip der Dienstleistungs-Auktionshäuser ist einfach, aber effektiv: Wer eine Arbeit zu vergeben hat, stellt sie als Angebot ins Internet. Möglichst detailliert beschrieben und mit einer Vorstellung, wie viel man bereit ist, maximal für diese Arbeit zu bezahlen. Handwerker können sich die Angebote anschauen und ihre Bewerbung abgeben – inklusive einem Angebot, für welchen Preis sie bereit sind, die Arbeit zu übernehmen.

Dienstleistungsauktionen gibt es in letzter Zeit immer häufiger. My-Hammer gehört zu den großen Anbietern in diesem Bereich.

Alternativen zu eBay

Anbieter wie www.my-hammer.de, www.blauarbeit.de und www.undertool.de arbeiten nach diesem Prinzip und haben in den vergangenen Jahren einen regen Zulauf erlebt.

Trotzdem sollte man genau darauf achten, auf was man sich hier einlässt. Die Zeitschrift *test* der STIFTUNG WARENTEST hat für die August-Ausgabe 2007 einige Handwerkerbörsen unter die Lupe genommen und kommt zu einem durchaus gemischten Urteil. So sollte man vor allem auf die Qualifikation und Zuverlässigkeit der Anbieter achten. Die meisten Auktionsbörsen helfen dabei, denn wie bei eBay können sich Auftraggeber und -nehmer nach Beendigung der Auktion gegenseitig bewerten. Unseriöse Handwerker oder Auftraggeber sollen durch Negativbewertungen rasch auffallen, was aber nicht immer der Fall ist, wenn die Bewertung noch vor der endgültigen Ausführung der Arbeiten abgegeben wird.

Obwohl die Portale versuchen, unseriöse Anbieter möglichst schnell auffliegen zu lassen, nehmen die Streitigkeiten zu, so die Tester: Die Handwerkskammern würden die wachsende Zahl der Handwerkerauktionen skeptisch betrachten. Eine Handwerkerleistung, so zitiert die Zeitschrift *test* den Pressesprecher der Handwerkskammer Düsseldorf, Alexander Konrad, sei keine industrielle Leistung und lasse sich nicht verkaufen wie ein Päckchen Gummibärchen. Immer häufiger gebe es Streitigkeiten zwischen Auftragnehmer und Auftraggeber, und immer öfter müssten Sachverständige eingeschaltet werden. Oft sei die Situation vor Ort nämlich ganz anders, als der Auftraggeber sie im Internet beschrieben habe. Keine seriöse Firma könne eine realistische Preiskalkulation abgeben, ohne die Anforderung vor Ort begutachtet zu haben, so der Sprecher der Handwerkskammer. Allerdings gelte eine über das Internet vergebene Auktion als geschlossener Vertrag, Nachforderungen seien nicht möglich. Die STIFTUNG WARENTEST empfiehlt daher, bei der Erstellung der Auktion und der Auswahl eines Auftragnehmers einige Regeln zu beachten (Quelle: *test* 8/2007):

So vermeiden Sie Ärger bei Handwerkerauktionen

- **Aufträge genau beschreiben**
  Oft wird unterschätzt, was alles in eine detaillierte Auftragsbeschreibung gehört. Orientieren Sie sich an ähnlichen Aufträgen und nutzen Sie – falls vorhanden – die Hotline der Portale.
- **Auf Qualität achten**
  Lassen Sie sich Qualifikationen nachweisen. Erkundigen Sie sich im Zweifel bei der Handwerkskammer.

- **Gewährleistungsansprüche**
  Bestehen Sie auf einer Rechnung, sonst haben Sie keine Gewähr. Wählen Sie außerdem möglichst eine Firma in Ihrer Nähe, Nachbesserungen sind dann meist leichter durchsetzbar.
- **Anfahrtskosten**
  Legen Sie im Auftrag fest, welche Kosten im Preis inbegriffen sind, beispielsweise für Material oder Anfahrt.
- **Startpreis**
  Setzen Sie den Startpreis nicht zu niedrig an, sonst bekommen Sie keine seriösen Gebote.

Trotz aller Kritik: Die Dienstleistungsbörsen sind eine gute Möglichkeit, Handwerker- oder andere Arbeiten preisgünstig erledigen zu lassen. Großer Vorteil: In der Regel wird man sich aussuchen können, wer die Arbeiten übernimmt, denn schließlich bewerben sich die Handwerker um den Job. Weil Dienstleistungsbörsen inzwischen regen Zulauf haben, gibt es auch schon eine Reihe verschiedener Anbieter.

In der Tabelle auf den Seiten 132/133 finden Sie eine Übersicht über einige große Handwerkerportale und deren Leistungen.

Alternativen zu eBay

Internetportal	Mitgliederer *)	Auktionen/ Monat *)	Gebote/ Monat *)	Muss der Auftrag vergeben werden?
www.blauarbeit.de	75 000	5 300	Keine Angaben	Nein. Der Auftraggeber kann unter allen Bietern frei wählen. Er muss den Auftrag nicht vergeben.
www.jobdoo.de	45 000	500	1 500	Ja. Der Auftraggeber hat 14 Tage Zeit, sich für einen der Bieter zu entscheiden. Danach erhält der Günstigste automatisch den Zuschlag.
www.my-hammer.de	290 000	35 000	153 000	Nein. Der Niedrigstbietende erhält einen vorläufigen Zuschlag. Der Auftraggeber hat aber 14 Tage Zeit, einen anderen oder gar keinen Bieter auszuwählen.
www.profis.de	11 000	1 000	1 000	Nein. Der Auftraggeber entscheidet frei, wer den Auftrag erhält. Sagt ihm keines der Gebote zu, kann er den Auftrag kostenlos zurückziehen.
www.quotatis.de	103 000	6 000	12 000 bis 18 000	Nein. Der Auftraggeber erhält bis zu fünf unverbindliche Angebote, aus denen er frei wählen kann.
www.undertool.de	40 000	Keine Angaben	Keine Angaben	Ja. Der Auftraggeber hat drei Tage Zeit, einen Bieter auszuwählen, sonst gewinnt automatisch das niedrigste Gebot. Alternativ kann er unverbindlich einen Kostenvoranschlag einholen.

*) Zahlen nach Angaben der Anbieter, alle Daten Stand Juni 2007, Quelle: test 8/2007

Dienstleistungsauktionen

Qualitätssicherung	Vermittlungsprovision
„Free-Mitglieder" weisen ihre Qualifikationen nicht nach. Nur wer „Basic"- oder „Premiummitglied" ist, hat seine Unterlagen vorgelegt. Das kostet 15 bzw. 25 Euro monatlich.	Keine
Jedes Mitglied kann gegen eine einmalige Gebühr von 5 Euro dem Portalbetreiber seine Identität nachweisen und sich so als Facharbeiter, Geselle oder Meisterbetrieb ausweisen.	Der Auftraggeber zahlt zwischen 1,0 und 3,5 Prozent vom ausgewählten Gebot. Für das Einstellen von Bildern und Anhängen sowie Hervorhebungen werden Extragebühren berechnet.
Der Auftraggeber kann Mindestanforderungen stellen, zum Beispiel nur Fach- oder Meisterbetriebe mitbieten lassen. Gewerbe und Qualifikation müssen nachgewiesen werden.	Der Auftragnehmer zahlt 4 Prozent vom Auftragswert, bei Aufträgen über 25 000 Euro 3 Prozent, über 100 000 Euro 2 Prozent.
Gewerbliche Mitglieder müssen einen Gewerbenachweis vorlegen. Mitbieten können aber auch Privatpersonen.	Der Auftragnehmer zahlt 2 Prozent des Auftragswerts, mindestens 4,99 Euro.
Nur Mitglieder, die ihre gewerbliche Tätigkeit nachgewiesen haben, dürfen mitbieten.	Der Auftragnehmer zahlt pro Anfrage zwischen 9 und 49 Euro, quotatis liefert aber mindestens acht Anfragen pro Monat. Das heißt, er zahlt mindestens 72 Euro im Monat.
Der Auftraggeber kann wählen, welche Unterlagen der Auftragnehmer vorlegen muss (zum Beispiel Steuernummer, Gewerbeschein, Firmenhaftpflicht).	Der Auftragnehmer zahlt für eine gewonnene Auktion oder einen zugeteilten Kostenvoranschlag zwischen 2,0 und 4,5 Prozent vom Auftragswert.

Alternativen zu eBay

Es geht sogar kostenlos: Leihen und tauschen

Für manche Artikel lässt sich bei eBay kaum noch ein vernünftiger Preis erzielen. Bücher zum Beispiel lassen sich zwar verkaufen, bringen oft aber nur wenig mehr als einen Euro. Wer dann neben den Einstellgebühren und der Verkaufsprovision von eBay noch den Aufwand für das Einstellen der Auktion und die Verkaufsabwicklung in Rechnung stellt, kommt schnell zu dem Schluss, dass der Verkauf solcher Artikel sich nicht lohnt.

Statt einfach die Altpapiertonne aufzumachen, gibt es aber noch einen anderen Weg: Auf der Internsetseite www.buchticket.de beispielsweise lassen sich ausgelesene Bücher gegen frischen Lesestoff eintauschen. Kostenlos und immer eins zu eins: Wer ein neues Buch haben will, muss ein altes dafür hergeben. Das Angebot scheint anzukommen: Buchticket hat nach eigenen Angaben derzeit fast 800 000 Bücher im Angebot.

Tauschen statt Wegwerfen: Unter www.buchticket.de lassen sich ausgelesene Bücher gegen neue tauschen.

Eine ähnlich interessante Idee haben auch die Macher der Webseite www.dieborger.de gehabt: Dort kann man Gegenstände untereinander ausleihen. Das Angebot reicht von Büchern und CDs bis hin zum Schwingschleifer oder Zementmischer. Meistens sind die Angebote kostenlos, und auch hier gilt: Alles beruht auf Gegenseitigkeit – wer sich etwas ausleiht, soll auch selber etwas verleihen.

Es geht sogar kostenlos: Leihen und tauschen

Bei den Borgern erlebt das Prinzip der Nachbarschaftshilfe eine neue Blüte im Internet.

Der Online-Marktplatz

Wichtige eBay-Begriffe

AGB Abkürzung für „Allgemeine Geschäftsbedingungen". Darin sind alle wichtigen Rahmenbedingungen und Regelungen zwischen zwei Handelspartnern (in der Regel zwischen gewerblichem Händler und Verbraucher) festgehalten. Als Profihändler sind Sie verpflichtet, Käufern Ihre AGB zugänglich zu machen. Viele Bedingungen in den AGB sind gesetzlich vorgeschrieben, zum Beispiel zu Garantie und Rückgaberecht.

Artikelseite Die Angebotsseite eines Artikels. Hier finden sich alle wichtigen Informationen zu einem Artikel, unter anderem, wann eine Auktion endet, wie viel der Artikel momentan kostet und wer der Verkäufer ist. Zudem befindet sich auf dieser Seite die ausführliche Beschreibung der Ware. Die Artikelseite ist Grundlage des Kaufvertrags, der zwischen Käufer und Verkäufer zustande kommt.

Bewertungsprofil Grundlage, um einen Handelspartner und dessen Seriosität beurteilen zu können. Für jedes abgeschlossene Geschäft können sich Handelspartner gegenseitig beurteilen. Es gibt die Möglichkeit einer positiven, neutralen oder negativen Beurteilung. Ein größerer Anteil an Negativbewertungen lässt den Handelspartner unseriös erscheinen.

Bietagent eBay ist sozusagen Ihr Verbündeter bei der Abgabe von Geboten: Das System bietet nicht direkt Ihr eingegebenes Maximalgebot, sondern immer nur gerade so viel wie nötig, um andere Kaufinteressenten zu überbieten.

eBay Express Tochterangebot von eBay. Bei eBay Express können ausschließlich von eBay geprüfte Händler Neuwaren zum Festpreis verkaufen.

Erweiterte Suche eBay kennt in der erweiterten Suche zahlreiche Möglichkeiten, nach Artikeln zu suchen und Ergebnislisten zu filtern, zum Beispiel nach Artikelstandort oder aktueller Gebotshöhe.

Gewerbeanmeldung Handeln Sie gewerbsmäßig mit Waren oder Dienstleistungen, müssen Sie das Gewerbe anmelden und unterliegen bestimmten Gesetzen und Regelungen. Sie haben zum Beispiel die Pflicht, Ihre Einkünfte zu versteuern und Umsatzsteuer abzuführen.

Kategorien Alle Artikel bei eBay sind in Kategorien eingeordnet. Artikel können in maximal zwei Kategorien gleichzeitig eingestellt werden.

Kaufabwicklung Jeder Kauf besteht aus mehreren Schritten, zum Beispiel der Mitteilung der Kontoverbindung an den Käufer oder dem Versand

Wichtige eBay-Begriffe

der Ware. Die automatische Kaufabwicklung hilft, keinen dieser Schritte zu vergessen. eBay bietet eine integrierte Kaufabwicklung, es gibt dafür aber auch externe Dienstleister wie Afterbuy.

Käuferschutzprogramm Käufe bei eBay sind automatisch versichert. Liefert ein Händler nicht oder schickt er eine minderwertigere Ware, kann der Käufer einen Antrag auf Käuferschutz stellen. Es handelt sich allerdings um eine freiwillige Kulanzleistung von eBay, zudem gelten ein Mindestbetrag von 25 und ein Höchstbetrag von 200 Euro.

Paypal Tochterfirma von eBay, die Überweisungen zwischen Handelspartnern vereinfachen soll. Entstanden in den USA, wo es Banküberweisungen zwischen Handelspartnern, die in verschiedenen Bundesstaaten leben, nicht gibt. Innerhalb der EU meist überflüssig, da normale Banküberweisungen in der Regel preisgünstiger sind. Sinnvoll für Einkäufe im außereuropäischen Ausland.

Power- oder Multi-Auktion In einer solchen Auktion werden mehrere identische Artikel gleichzeitig versteigert. Die Bieter zahlen am Ende alle nur den Betrag des niedrigsten Höchstgebots. In der Abwicklung nicht leicht zu verstehen, wird daher von Händlern immer seltener angeboten.

PowerSeller Besonders herausgehobener Händler bei eBay, der entsprechend gekennzeichnet wird. Um PowerSeller zu werden, müssen bestimmte Bedingungen erfüllt sein (zum Beispiel Mindestumsatz und nur geringe Zahl von Negativbewertungen). eBay spricht dann eine Einladung an den Händler aus, PowerSeller zu werden. Der Status des PowerSellers wird kostenlos verliehen und umfasst bestimmte Zusatzleistungen.

Preisvorschlag Manche Händler lassen über den Preis einer Ware mit sich reden. Bei entsprechend gekennzeichneten Auktionen können Käufer einen Preisvorschlag machen, den der Händler annehmen, ablehnen oder mit einem Gegenvorschlag beantworten kann. Es gibt so die Möglichkeit, mit einem Händler über den Preis einer Ware oder Dienstleitung zu verhandeln, ohne in einer Auktion gegen andere Kaufinteressenten antreten zu müssen.

SMS-, WAP-, Telefon-Bieten eBay ermöglicht es, auch ohne PC mitzubieten. Dies ist per Handy über Kurzmitteilungen (SMS) oder ein WAP-Portal möglich. Zudem gibt es die Möglichkeit, per Telefon (verbunden mit einem

Der Online-Marktplatz

Sprachcomputer) ein Gebot abzugeben. SMS- und Telefon-Bieten sind allerdings kostenpflichtig.

Sniper-Programm Computerprogramm, das vollautomatisch ein Gebot abgibt, meist wenige Sekunden vor Beendigung der Auktion. Die Chance, eine Auktion zu gewinnen, steigt dadurch an.

Sofort & Neu Besondere Verkaufsform bei eBay: Nur Profihändler dürfen Waren als *Sofort & Neu* anbieten. Die Waren müssen neu sein, zum Festpreis angeboten werden (*Sofort Kaufen*), und es muss ein Rückgaberecht eingeräumt werden.

Sofort Kaufen Statt Artikel in einer Auktion zum Höchstgebot zu verkaufen, kann die Ware auch zu einem Festpreis angeboten werden. Ein Kaufinteressent, der diesen Preis akzeptiert, bekommt direkt den Zuschlag. Es gibt auch kombinierte Angebote: Ein Artikel wird in einer Auktion angeboten mit der Option, ihn zu einem höheren Preis als dem Startgebot sofort zu kaufen. Die Option *Sofort Kaufen* fällt weg, sobald ein erstes Gebot auf den Artikel abgegeben wurde.

Toolbar Zusatzprogramm von eBay, das sich in den Internetbrowser einklinkt. Erinnert an gemerkte Auktionen, die bald auslaufen, bietet einen direkten Zugriff auf die Suche nach Artikeln bei eBay und schützt vor Phishing-Angriffen, bei denen Hacker versuchen, eBay-Name und Passwort zu klauen.

Top-Angebote Eigener Bereich mit besonders herausgehobenen Angeboten. Anbieter können Ihre Waren gegen eine Zusatzgebühr zu Top-Angeboten machen. Es handelt sich also um eine besondere Art der Werbung.

Treuhandservice Normalerweise werden Geschäfte direkt zwischen den beiden Handelspartnern abgewickelt. Beim Treuhandservice schaltet sich jedoch eine dritte Person – der Treuhänder – in die Abwicklung ein. Er kontrolliert alle Zwischenschritte (Bezahlung, Versand der Ware, zugesicherte Eigenschaften), sodass das Betrugsrisiko minimiert wird. Der kostenpflichtige Treuhandservice empfiehlt sich vor allem für Hochpreisartikel oder wenn Sie Zweifel an der Seriosität Ihres Handelspartners haben.

Turbo Lister Kostenloses Programm von eBay, das es möglich macht, Auktionen ohne Internetverbindung vorzubereiten. Praktisch ist das vor allem, wenn häufig gleiche oder ähnliche Artikel verkauft werden: Turbo Lister kann einmal gemachte Angaben speichern.

Nützliche Internetadressen

www.aufrecht.de — Internetseite der Kanzlei Terhaag & Partner in Düsseldorf mit einer Rubrik *ebay-recht* und vielen weiteren interessanten juristischen Informationen und Tipps. Autoren des Ratgebers „Onlinerecht – Ratgeber für Selbständige" (2006 bei Data Becker).

www.irights.info — Blog des Mikro e.V., Redaktion iRights.info aus Berlin zum Urheberrecht im Internet. Eine Suche nach „ebay" erbringt über 200 Treffer.

www.kremer-legal.com — Internetseite der Kanzlei Kremer. Neben einer Suche nach Stichwörtern gibt es aktuelle Publikationen zur Rechtsprechung und Gesetzgebung, vor allem aus dem IT-Recht, Internetrecht und Medienrecht samt der Bezüge zum „Grünen Bereich" (Wettbewerbsrecht, Markenrecht, Urheberrecht), Handelsrecht (im weitesten Sinne) sowie dem allgemeinen Zivilrecht.

www.verbraucherrechtliches.de — Ein Blog mit vielen Beiträgen zum Verbraucherrecht von Ronny Jahn von der Verbraucherzentrale Berlin. Einfach in der Suche „ebay" eingeben, dann werden die relevanten Beiträge angezeigt.

Der Online-Marktplatz

Index

A

Absicherung vor Betrug 83
Adressdaten 11
Afterbuy 66, 123
AGB 13, 136
Allgemeine Geschäfts-
bedingungen 13
Alternativen zu eBay 27
Angebot an Zweitbieter 110
Angebotsgebühren 94
Anmeldung 10
    Adressdaten 11
    Allgemeine Geschäfts-
    bedingungen 13
    Passwort 12
    Schufa 11
Artikelseite 41, 136
    Beschreibung 41
    Nebenkosten 42
    Preis 41
    Restzeit 41
Artikelstandort 39
atrada.de 127
Auction Sentry 59
Aufbau 14
    Kategorien 15
    Mein eBay 15
    Serviceleiste 15
    Suchen-Feld 15
Auktion 50
    Bietagent 52
    Gebot abgeben 50
    Gebot zurücknehmen 53
    ohne PC mitbieten 61
    SMS 61
    Sniper-Programm 59
    Strategie 55
    Telefonbieten 61
    WAP 61
auktionssuche.de 28, 128
Ausländischer Anbieter 46
    Zoll 48
auxion.de 127
azubo.de 27

B

Beschwerde einreichen 86
Betrug 10, 80
    Absicherung vor Betrug 83
    Anzeige 88
    Beschwerde bei eBay einreichen
    86
    sich wehren 86
Betrüger erkennen 82

Bettercom 123
Bewertung
    abgeben 74
    auf Negativbewertung
    reagieren 77
    falsche Angaben 78
Bewertung abgeben
    Bewertungszeitpunkt 75
Bewertungsprofil 136
Bewertungssystem 22
    Aussagekraft 21
    Privatmitglieder 22
    Probleme 52
    Versagen 59
Bietagent 29, 136
Biet-O-Matic 122
billiger.de 130
blauarbeit.de 134
Büchertausch 134

C

Clubs 26
Countdown-Auktionen 128

D

Deutscher Paketdienst (DPD) 107
DHL 106
dieborger.de 134
Dienstleistungsbörsen 129
Diskussions-Foren 26

E

eBay 8
    Alternativen 27, 126
    Anmeldung 10
    Ärger 126
    Aufbau 14
    ausländische Händler 46
    Betrug 10
    Bewertungssystem 20
    Bildermanager 122
    Gebühren 26
    Geschichte 9
    Kaufabwicklung 64
    Konkurrenten 126
    Marktanalyse 123
    Nachteile 10
    Name 12
    Passwort 12
    selbst verkaufen 92
    Serviceleiste 11
    Shops 24
    Suche 34
    Toolbar 35

Index

Touren 25
Verkaufsberichte 122
Verkaufsmanager 122
Vorteile 9
Zahlungsverbindung
    übermitteln 97
eBay Blogs 26
eBay Express 23, 136
eBay-Forum 26
eBay-Käuferschutz nutzen 87
eBay-Name 12
eBay Shops 24
eBay-Versandcenter 106
Einschreiben 85
E-Mail an Verkäufer 43
Erfolgreich verkaufen 98
Erweiterte Suche 36, 136

F
Finden 32
Forum 26

G
Garantie 122
Gebot abgeben 50
Gebot zurücknehmen 53
Gebühren 26
    Käufer 42
    Kostenübernahme 97
    Praxis 96
Gebührenerstattung 110
General Logistic Systems (GLS) 107
Geschichte 9
Gewährleistung 122
Gewerbeanmeldung 120, 136
Gewerbeschein 120
guenstiger.de 29

H
Händler
    Voraussetzungen 115
Handwerkerauktionen
    Ärger vermeiden 130
Handwerkerbörsen 129
Hermes Versand 26
Hilfe 27
hood.de 127

J
jobdoo.de 132

K
Kategorien 15, 136
    durchsuchen 32

Kategoriensystem 32
Kaufabwicklung 64, 103, 136
kaufenmitverstand.de 30
Käufer anmahnen 108
Käuferpflichten 80
Käuferrechte 80
Käuferschutz 87
Käuferschutzprogramm 137
Kaufvertrag rückgängig machen .. 45

L
Last-Minute-Gebot 59
Leihbörse 134

M
Marktanalyse 123
Maximalgebot 51
Mein eBay 15
    Abonnements 19
    Adressen 19
    Aufbau 16
    Beobachten 17
    Bewertungen 19
    Bieten 17
    Einstellungen 19
    Favoriten 19
    Gekauft 18
    Marketing-Tools 18
    Nachrichten 18
    Nicht verkauft 18
    Persönliche Angebote 18
    Persönliche Daten 19
    Preisvorschläge 18
    Suchanzeige 18
    Testberichte & Ratgeber 19
    überboten 18
    Unstimmigkeiten klären 19
    Verkaufen 18
    Verkäuferkonto 19
    Verkauft 18
    Vorbereitete Angebote 18
    Zusammenfassung 17
Meine eBay Welt 26
Multi-Auktion 52, 137
my-hammer.de 130

N
Nachnahme 85
Nachteile 10
Nebenkosten 42
Negativbewertung abgeben 86

Der Online-Marktplatz

O
Onlineshopping
    Siegel 30
Onlineshops 29

P
Paketdienste 106
Passwort 12
    Haftung 14
    vergessen 13
Passwortklau 14
Paypal 69, 137
    Käuferschutz 88
    Nachteile 70
    Vorteile 70
Power-Auktion 52, 137
PowerSeller 114, 137
    Status 116
    Stufen 116
    Voraussetzungen 114
Preissuchmaschinen 29
Preisvorschlag 45, 137
Privatmitglieder 22
Probleme
    mit Verkäufer direkt klären 81
Profihändler
    Kriterien 121
    Pflichten 119

Q
quotatis.de 132

R
Rechnung 120
Rückwärtsauktionen 128

S
schottenland.de 29
Schufa 11
Serviceleiste 11, 15
Shopping-Siegel 30
Siegel 30
SMS-Bieten 61, 137
Sniper-Programm 59, 138
Sofortkauf 44
Sofort Kaufen 40, 34, 138
Sofort & Neu 44, 138
Spaßbieter 109
Suche 32
    abspeichern 37
    Ergebnisliste sortieren 39
    Erweiterte Suche 36
    in Ergebnislisten 38
    starten 34
    Suchoptionen 35
    Suchvorschläge 40
Suchen-Feld 15
Suchoptionen 35
Suchvorschläge 40

T
Telefonbieten 61
Toolbar 138
Top-Angebote 39, 138
Treuhandservice 71, 85, 138
    nutzen 72
Turbo Lister 102, 138

U
Umsatzsteuer 120
undertool.de 130
UPS 107

V
Verkaufen 92
    Abmahnung 124
    Abwicklung 103
    Afterbuy 123
    AGB 124
    agb-giftkueche.de 124
    Angebot an Zweitbieter 110
    Angebotsgebühren 94
    Artikelbeschreibung 100
    Artikel per Internet einstellen 92
    Auktionsdauer 99
    Bettercom 123
    Bieter sperren 110
    Bildermanager 122
    Einschränkungen 93
    Fachhandel 117
    Fotos 98
    fruehrentner.de 124
    Garantie 122
    Gebühren 94
    Gebührenerstattung 110
    Gewährleistung 122
    Gewerbeanmeldung 120
    Gewerbeschein 120
    Käufer anmahnen 108
    Links und Software 122
    Markennamen 101
    Marktanalyse 123
    Modeartikel 118
    nach der Auktion 103
    PowerSeller 114
    Probleme mit Käufern 108
    Profihändler 121

Index

Rechnung 120
Restposten 119
Spaßbieter 109
Strategien 117
Tipps für erfolgreiche
Auktionen 98
Turbo Lister 102
Überschrift 99
Umsatzsteuer 120
Verkaufsberichte 122
Verkaufsmanager 122
Verkaufsprovision 95
Verkaufszeitpunkt 100
Verpflichtung, Ware ab-
zunehmen 104
Versand organisieren 105
Versandrisiko 108
wortfilter.de 124
Zahlungsaufforderung an
Käufer senden 109
Zahlungsverbindung an
eBay übermitteln 97
Zusatzoptionen 96
Verkäufer kontaktieren 67
Verkaufsberichte 122
Verkaufsmanager 122
Verkaufsprovision 95
Verkaufsstrategien 117
Versand 105
Kosten 107
Versandcenter 106
Versicherter Versand 84
Vorteile 9

W

WAP-Bieten 61, 137
Ware persönlich abholen 84

Z

Zahlungsaufforderung an Käufer
senden 109
Zoll 48
Zusatzoptionen 96

Impressum

Herausgeber und Verlag
STIFTUNG WARENTEST
Lützowplatz 11–13
10785 Berlin

Tel. (030) 26 31-0
Fax (030) 26 31-25 25
www.stiftung-warentest.de

Vorstand
Dr. jur. Werner Brinkmann

Weitere Mitglieder der Geschäftsleitung
Hubertus Primus
(Publikationen)
Dr.-Ing. Peter Sieber
(Untersuchungen)

Autoren
Jörg Schieb
Jörg Brunsmann

Lektorat
Dr. med. vet. Ines George
(Leitung)
Uwe Meilahn
Stefanie Barthold

Fachliche Beratung
Rechtsanwalt Michael Terhaag, LL.M. (Informationsrecht), und Dr. Thomas Engels, Kanzlei für gewerbliche Schutzrechte und neue Medien Terhaag & Partner, Düsseldorf, www.aufrecht.de

Korrektorat
Stefanie Barthold

Layout/Titel
Harald Müller, Würzburg

Umschlagfoto
© Pando Hall, Getty Images

Bildnachweis
Jörg Brunsmann (Screenshots)

Produktion
Harald Müller, Würzburg

Verlagsherstellung
Rita Brosius
Kerstin Uhlig

Druck
Stürtz GmbH, Würzburg

Einzelbestellung in Deutschland
STIFTUNG WARENTEST
Vertrieb
Postfach 81 06 60
70523 Stuttgart

Tel. (0 18 05) 00 24 67
(14 Cent pro Minute aus dem Festnetz)
Fax (0 18 05) 00 24 68
(14 Cent pro Minute aus dem Festnetz)

www.stiftung-warentest.de

Redaktionsschluss
August 2007